Ice

# Pablo Neruda

*A Basic Anthology*

# Pablo Neruda

## *A Basic Anthology*

Selection and Introduction
by
Robert Pring-Mill

The Dolphin Book Co. Ltd.
1975

PRINTED IN SPAIN
I.S.B.N. 085215-049-0
DEPÓSITO LEGAL: V. 192 - 1975 I.S.B.N. 84-399-3504-8
Artes Gráficas Soler, S. A. — Valencia

## ACKNOWLEDGEMENTS

THE plans for this anthology were originally made when Pablo Neruda came to Oxford in June 1965, to receive the degree of D. Litt. *honoris causa* — the first formal academic recognition of his poetry outside the countries of Latin America and the socialist bloc. He gave close attention to the scheme, approved the general conception (as I have outlined it at the beginning of the Introduction), and allowed me to take into account a list of what poems written up to 1961 he would himself regard as constituting the ideal 'basic anthology.' My own final choice does not always wholly agree with his, but he did see and approve the main list of contents in the year before he died. Since his death, the anthology has been extended to take into account the rich and varied poetry of his last eighteen months. I am sad that various delays precluded him from ever seeing what he called "my Oxford Book of Verse" in print, yet glad that one consequence of these delays should be that I am now able to present the reader with a full conspectus of his poetry.

My thanks are due not only to the poet himself, but in no less measure to his widow, Matilde Urrutia. I owe so much to both, over the years since we first met, for generous hospitality when I went to work with him at Isla Negra, and later in Paris, and for endless help over research, only a fraction of which can be reflected in a volume such as this. Matilde had been the patient archivist of his production from 1952, and she freely lent me the drafts of most of his poems from *Los versos del capitán* onwards. My thanks are also due to many people who helped me in South

America, two of whom deserve particular mention. The first is Hernán Loyola, Director del Instituto de Literatura Chilena until forced into exile by the military coup of the 11th of September 1973. His published writings are essential reading for all *nerudistas,* but I also owe him a special debt for giving me access to much unpublished material, including his transcript of Neruda's letters to his sister, Laura Reyes. The second, Margarita Aguirre, authoress of *Las vidas de Pablo Neruda* (1967) and at one time the poet's secretary, allowed me to photocopy much of the unpublished material she holds, including a typed transcript of the correspondence between Héctor Eandi and Neruda during the poet's years in the Far East. Though most of the results of my use of their material may not be immediately apparent here, it has all helped to form my own approach.

Lastly, my thanks are also due to don Gonzalo Losada, for having generously agreed to authorize this edition at the poet's request, and to J. L. Gili — my publisher — whose patience over my procrastination has been inexhaustible. Mr. Gili and I would jointly wish to acknowledge the kindness of the Nobel Foundation in allowing us to reprint Neruda's *Discurso de Estocolmo,* and of the Oxford Mail and Times for authorizing the use of a portrait taken by their staff photographer in 1965.

R. P.-M.

*St. Catherine's College, Oxford*
*23rd September 1974.*

# CONTENTS

# INTRODUCTION

This volume is designed to be a 'working anthology,' one which will provide a comprehensive introduction to Neruda's poetry that can be used as much for study as for enjoyment. It is intended to be 'representative' not in the sense of including something from every volume of poetry he ever published, but in the sense of presenting a spectrum of the major tendencies in his work at different periods, each represented in sufficient depth for individual poems to be appreciated in their context. It is the first Nerudian anthology to be compiled along these lines, and it is also the first anthology of the poet's works to be able to take into consideration the poetry of his last years, including that of the seven posthumous collections which he had planned to publish on his seventieth birthday.

This introduction is ancillary to the collection itself: not an independent critical study of Neruda but a tool to be used in conjunction with the body of poetry which it precedes. It too is a kind of context: a context both of appraisal, within which individual texts can perhaps be the more readily appreciated, and of essential biographical information. In its compilation, Neruda's posthumous volume of prose reminiscences, *Confieso que he vivido* (1974), was also taken into account.

In his *Discurso de Estocolmo,* the speech on the occasion of receiving the 1971 Nobel Prize for Literature (reproduced in its entirety as an appendix to this volume), Neruda wrote:

Cada uno de mis versos quiso instalarse como un objeto palpable: cada uno de mis poemas pretendió ser un instrumento útil de trabajo: cada uno de mis cantos aspiró a servir en el espacio como signos de reunión donde se cruzaron los caminos. (See p. 216.)

This anthology is a collection of the *objetos palpables* which he created, it hopes to prove itself *un instrumento útil de trabajo*, and this contextual introduction seeks to provide *signos de reunión* which may help the reader to understand where those *caminos* met and how they crossed.

The poet was born on the 12th of July 1904 in Parral, a small town in the wine country north of Chillán, and brought up chiefly in Temuco. His father, José del Carmen Reyes Morales, came of farming stock, but worked on the railway with a maintenance train. The poet's mother, doña Rosa Basoalto de Reyes, died before he was two months old, and he was brought up by his stepmother, doña Trinidad Candia Marverde, whom his father married in Temuco in 1906. Christened Neftalí Ricardo, the poet adopted the name "Pablo Neruda" as a pseudonym in his teens to avoid parental wrath, fearing his father would blame his poetry for the poor marks he obtained in mathematics. Long after his father's death in 1938, he finally changed his name to Pablo Neruda by deed-poll on the 28th December 1946, within a few months of his election to the Chilean Senate.

Neruda's poetry was profoundly influenced at every stage, although in different ways, by the background of his childhood in the south of Chile, so ably evoked in "La frontera" (p. 77) towards the end of the *Canto general.* In the first instance this appeared less in the substance of his poems than in the range of natural objects which supplied his imagery, as in the early love-poems. Later, the geographical background took on a thematic importance, and in his 'autumnal' poetry it becomes the substructure of his entire way of seeing and interpreting the world.

His first poem was published, still under the name of Reyes, when he was fourteen years old. He was influenced both in his education and in his poetic development by Gabriela Mistral (1889-1957), Chile's only previous winner of the Nobel Prize, who came to the Liceo de Niñas of Temuco as *directora* in 1920 while Neruda was a pupil at the Liceo de Hombres. In those days, Temuco had only about ten thousand inhabitants and was still very much a frontier town. Many years later, he was to recapture the atmosphere of his Temucan youth deftly and succinctly in "La condición humana" (p. 141), part of an important sequence of autobiographical poems called *Memorial de Isla Negra* (1964) which he published on his sixtieth birthday.

One of his poems was awarded first prize in the Fiesta de la Primavera of Temuco in 1920, and in that year he was both president of the Liceo's Ateneo Literario and *prosecretario* of the Asociación de Estudiantes of Cautín (the province of which Temuco is the capital). He had two collections of poems in preparation at that time, to be called *Las ínsulas extrañas* and *Los cansancios inútiles,* but neither was ever published in that form. Part of their contents went into his first book, *Crepusculario,* a few years later.

In 1921 he went to Santiago, to the Instituto Pedagógico, to train as a teacher in French, but he never completed the course. Soon after his arrival, he won first prize in the Concurso de la Federación de Estudiantes de Chile with a poem called "La canción de la fiesta," included in this anthology (p. 1) not because it has any great literary merit but because of its importance in Neruda's poetic career. It is a very derivative piece, *rubendarista* in its rhythms and vocabulary, but already displaying great dexterity in its sonorous handling of what is at this stage admittedly received material. It is a revealing document, situating the budding poet firmly in a late *modernista* context. The same could be said of virtually the whole of his first published collection, *Crepusculario* (1923), represented here by a single poem: "Farewell" (p. 2).

*Crepusculario* was followed within a year by the book which made him famous, *Veinte poemas de amor y una canción desesperada* (1924). This is a series of tense, desperately sad poems, often sensuously erotic, making use of a tightly organized web of nature symbolism to analyze the nature of his feelings for what he later disclosed to be two separate girl-friends: "Marisol" back home in Temuco, and "Marisombra," a fellow-student in Santiago. [1] Nos. 1, 3, 9, 13, 19 and 20 are included in this collection.

Neruda uses two very different forms in the *Veinte poemas*. The one consists of a series of close-knit quatrains (see 1, 3, 9, 19), usually highly structured, with a complex set of correspondances patterning the imagery employed. The other (see 13 and 20) is in free verse, and is shaped wholly by the flow of feeling. But even poems of the second kind show, on closer inspection, a pattern of unobtrusive echoes which is largely responsible for their poetic force. Thanks to the acuteness of its emotional analyses and the disturbing accuracy with which it explores adolescent dilemmas, this sequence has achieved immense popularity — it had sold over one and a half million copies in Spanish alone by the time of his death. It continues to be Neruda's best-read book, yet academic critics have given it comparatively little attention, perhaps underestimating the skill with which the imagery is handled in, say, "Ah vastedad de pinos" (No. 3, p. 4). This poem builds up a very effective interaction between sight and sound, which culminates in a startling equation established between these areas of perception in the parallelistic final pair of couplets.

While he was still at the Liceo in Temuco, Neruda had been the local correspondent for the student periodical *Claridad,* one of a number of journals of this name which sprang up in South America as a result of the impact of Henri Barbusse's French *Clarté*. Neruda's association with *Claridad* marks his first entry into student politics and his earliest contact with militant left-wing intellectual circles. He became its editor soon after reaching Santiago. Between

[1] The poems numbered 1, 2, 5, 7, 11, 13, 14, 15, 17 and 18 relate to his affair with "Marisombra," and the remainder to what one understands to have been a much more platonic relationship with "Marisol." Yet there may be some confusion over Neruda's attribution of the poems, for the definitive No. 9 (see note on p. 5) is one of the most intensely erotic poems Neruda ever wrote.

1921 and 1928, he published no fewer than one hundred and eight contributions — mainly in prose — in this one journal, variously signed "Pablo Neruda," "Sachka," or "Lorenzo Rivas." He also contributed numerous *colaboraciones* to other small magazines, and to the literary supplements of *El Mercurio* and *La Nación.*

Referring to his political standpoint during those years (in a letter to the Argentine writer Héctor Eandi, written in 1933) Neruda says: "Yo fui anarquista hace años, redactor del periódico síndico-anarquista *Claridad,* en donde publiqué mis ideas y mis cosas por primera vez." But in those days he kept his politics in prose, with the exception of a single poem in defence of a fellow-poet (Joaquín Cifuentes Sepúlveda) jailed in Talca. Its form foreshadowed the short-line technique he was to make peculiarly his own thirty-three years later, in the *Odas elementales* (1954):

> . . . Compañeros,
> los jueces lo mantienen encerrado
> sin sol,
> sin luz,
> sin aire,
> por un delito que no cometió.
> Y aunque lo hubiera cometido. Era
> un poeta. . . . [2]

The naive romanticism of the final sentiment coloured all his student politics.

In 1925, he published "Galope muerto" (p. 8) in *Claridad,* and this became the first poem of one of his most important collections, *Residencia en la tierra.* [3] But much was to happen before *Residencia I* appeared in print. To start with, 1926 saw the publication of a self-analytical poetic cycle called *Tentativa del hombre infinito* (actually printed in the previous year) which combines the moods

[2] "A los poetas de Chile," *Claridad,* September-October 1921.
[3] Part I = 1925-1931, published in Santiago in 1933; Part II = 1931-1935, published in Madrid in 1935.

and imagery of *Veinte poemas* with much that seems to us extraordinarily Surrealist, in retrospect. In the same year, he published *El habitante y su esperanza,* a short-story in fifteen brief poetic chapters, and *Anillos,* a volume of short prose pieces — virtually prose-poems — written in collaboration with Tomás Lagos; the odd-numbered contributions were those by Neruda.

With literary success, Neruda abandoned all thought of becoming a schoolmaster. Money remained a serious problem. He came from a comparatively poor family, and his publications brought in very little. It was with some relief, then, that he accepted a minor and ill-paid post in the Chilean consular service in 1927 and went to the Far East. He travelled via Europe, where he visited both Madrid and Paris before taking ship at Marseilles for Rangoon. Regular *crónicas* of his journeyings appeared in *La Nación* over the next few years. He moved from Rangoon to Colombo in 1928. In 1930, he was posted to Batavia where he married his first wife, María Antonieta Hagenaar, nicknamed "Maruca." Finally, he was transferred to Singapore in 1931, returning to Chile with Maruca in the following year.

Most of the poems in *Residencia I* (including all those from "Arte poética" onwards in this anthology) were written during his five years in the Far East. Throughout this period he read insatiably, and although many academic critics have tended to underestimate the importance of his reading, Neruda himself was later to be fully conscious of the important part tradition plays in his own work. Highly individual though the poetry of *Residencia I* may be, it is worth bearing in mind with reference to this stage of his career an affirmation made in a speech in 1962:

> El mundo de las artes es un gran taller en el que todos trabajan y se ayudan, aunque no lo sepan ni lo crean. Y, en primer lugar, estamos ayudados por el trabajo de los que precedieron y ya se sabe que no hay Rubén Darío sin Góngora, ni Apollinaire sin Rimbaud, ni Baudelaire sin Lamartine, ni Pablo Neruda sin todos ellos juntos. Y es por orgullo y no por modestia que proclamo a todos los poetas mis maestros, pues, ¿qué sería de mí sin mis lar-

gas lecturas de cuanto se escribió en mi patria y en todos los universos de la poesía? [4]

The names listed form as significant a part of the background to his Far Eastern poetry, as they do to that which he was writing when he gave that speech. By 1962, however, we may assume that he was more directly conscious of the nature of this relationship between tradition and the individual talent: he was fully committed to the idea of art as a collective process by that stage, whereas what had oppressed him most out East was a sense of total solitude in an uncaring world. He would have come under the "aunque no lo sepan ni lo crean" clause of that first sentence, at that time.

His years in the East constituted, in fact, a period of virtually total spiritual bleakness — the blackest of his life. The sense of isolation present in many of the poems of his earlier collections grew into an obsessive loneliness, under the pressure of two alien cultures. He had nothing in common with the British merchants and administrators with whom he had to deal professionally — although he read every English book he could lay hands on — and he also failed to establish any real contact with indigenous culture. His personal life was unhappy. In Rangoon, he formed a liaison with an Anglo-Burmese girl called Josie Bliss who grew rabidly jealous and possessive, and pursued him to Ceylon (see "Tango del viudo," p. 16). His subsequent marriage to Maruca would seem to have brought little happiness. His poetry turned in upon itself, recording complete disgust with existence, an increasingly morbid preoccupation with death and with the passage of time, and a progressive disintegration of the inherited world-picture.

Neruda mirrored its collapse in a studied disintegration of poetic form. The organizing principle of the resulting poems lies in his emotional response to chaos. Each text becomes a series of indirect approximations to clear statement, ebbing and flowing as the response to the central

[4] Pablo Neruda y Nicanor Parra, *Discursos*, Santiago 1962, p. 77.

theme alters. Images are open-ended, implying more than they state but often leaving their implications either disturbingly vague or indecipherably hermetic. At times, the syntax disintegrates into a web of multiple ambiguities. The "Galope muerto" of 1925 (p. 8) gives one a clearer insight into this Surrealistic manner of proceeding than "Arte poética" (p. 10), a poem which sums it up in an ambiguous and unduly enigmatic manner. But "Unidad" (p. 9) offers the easiest way into this poetry, which reaches its finest level in "El fantasma del buque de carga" (p. 14), written on the long voyage home to Chile in 1932. The intermediate "Establecimientos nocturnos" (p. 11) is the last of five prose-poems, a form he subsequently abandoned.

Many readers regard the two parts of *Residencia en la tierra* as Neruda's finest work, although he himself repudiated it in Marxist terms, in 1949, as a dangerously negative product of his early alienation. Though this poetry does reflect the general consciousness of spiritual sterility which one finds in so many poets between the two world wars, it is questionable whether Neruda's 'alienation' was truly social in its origins. The pessimism of *Residencia I* grows even more intense in the earlier sections of the second volume, as in "Walking around" (p. 20), whose opening line "Sucede que me canso de ser hombre" sums up the feeling of world-weariness which dominates the greater part of both collections.

*Residencia II* was written over a period of almost five years. During this time, increasing public recognition of Neruda's stature as a poet did contribute to a gradual lightening of the desperate mood. Soon after his return to Chile, *Veinte poemas* went into a second edition (July 1932), with some revisions (No. 9, see p. 5, was introduced at this stage, replacing another poem). A volume of poems discarded at the time he first published *Veinte poemas*, on the grounds of too obvious kinship with the work of the Uruguayan poet Sabat Ercasty, appeared under the title of *El hondero entusiasta* in January 1933. The first part of *Residencia* was also published in Chile, in a limited edition, in

April of that year, after the failure of various attempts to secure its publication in Madrid or Paris.

In August 1933 Neruda was posted to Buenos Aires as consul. He stayed there till May 1934, when he was transferred to Barcelona. During his time in Buenos Aires he met Federico García Lorca, who became one of his closest friends. Lorca and Rafael Alberti (with the latter of whom Neruda had corresponded while in the East) were largely responsible for the enthusiastic way in which the Chilean poet was taken up by the intellectuals of the Generación del '27, when he arrived in Spain. In October a daughter, Malva Marina, was born to Maruca in Madrid. She was never strong, and "Enfermedades en mi casa" (p. 22) records Neruda's reactions to her early illness. (She died in France in childhood, in 1942, after Neruda and Maruca had separated.) Soon after her birth, he published Spanish translations of William Blake's "Visions of the Daughters of Albion" and "The Mental Traveller" in *Cruz y Raya.*

In December 1934, he was invited to give his first big poetry reading in Madrid University. About this time he also met Delia del Carril, for whom he was to leave Maruca during the Spanish Civil War. In February 1935 he was transferred to the capital from Barcelona. This posting came just over seventeen months before the outbreak of the Civil War. They were enormously active months for Neruda. In April 1935, he was honoured by the publication of an *Homenaje a Pablo Neruda* containing his "Tres cantos materiales" (Ediciones Plutarco) sponsored by many of the important Spanish poets of the day. Amongst these were Alberti, Aleixandre, Altolaguirre, Cernuda, Gerardo Diego, León Felipe, García Lorca, Jorge Guillén, Miguel Hernández (who became an intimate friend) and Pedro Salinas. In these three *cantos materiales* (later the fourth section of *Residencia II*) a positive feeling for things in themselves breaks through the earlier moods of desolation, anticipating the *Odas elementales* (1954) both in substance and in attitude — although not in technique. It is illuminating to compare "Entrada a la madera" (p. 24) with the "Oda a la madera" (p. 101), written almost twenty years later; or the

"Apogeo del apio" (p. 25) with the "Oda a la cebolla" (p. 95).

He also published two revealing selections of Spanish Golden Age poetry in *Cruz y Raya.* The first was a brief anthology of sonnets and *endechas* by the acute and subtle Conde de Villamediana, whose works — seldom reprinted — were virtually unknown to modern readers before Neruda rediscovered him. The second was a series of fifteen *Sonetos de la muerte* by Quevedo, perhaps the most profoundly disillusioned author of a disillusioned age, accompanied by reflective stoical passages from some of his late correspondence. In "Viaje al corazón de Quevedo," a lecture given in Santiago in 1943, Neruda makes it clear that Quevedo's neo-stoicism seemed to offer a way out of his personal horror at the inexorable quality of time and death, which dominates many poems of *Residencia en la tierra.*

At that time Quevedo was largely disregarded as a poet (except for his satirical and burlesque verses) in favour of Góngora, after whose tercentenary the Generación del '27 had been named. Though Góngora did influence Neruda in some respects, perhaps most obviously in the part of *Canto general* entitled "El gran océano" (see "Mollusca gongorina," p. 74, and "Leviathan," p. 76), Quevedo's influence went deeper. It endured throughout Neruda's life, to be reflected in a poem called "Leyendo a Quevedo junto al mar" in his very last political pamphlet (*Incitación al nixonicidio y alabanza de la revolución chilena,* 1973), and in the haunting "Con Quevedo, en primavera" (p. 178) of the posthumous *Jardín de invierno* (1974).

In September 1935, *Residencia en la tierra (1931-1935)* appeared in Madrid, together with a Spanish edition of *Residencia en la tierra (1925-1931),* and in October Neruda became the editor of a new 'little magazine,' *Caballo verde para la poesía,* four numbers of which had appeared by the outbreak of the Civil War.[5] The later stages of *Residencia II* show a widening of scope, and its fifth section

[5] A double-number dedicated to the Uruguayan poet Julio Herrera y Reissig was ready for distribution when the war broke out, but the entire printing was apparently destroyed in the siege of Madrid.

includes one of Neruda's finest pieces: the elegiac "Alberto Rojas Giménez viene volando" (p. 27), written on hearing of his friend's death back in Chile, and rich with the poetic fruition of Neruda's response to Quevedo. In this, the torrent of images and intense emotion is disciplined and harnessed at almost every point by a strict stanzaic form. The penultimate poem of the final section, "No hay olvido (Sonata)" (p. 29), brings the more dominant moods of both *Residencias* together vividly and economically. In its negative attitude to "cosas rotas" and "utensilios demasiado amargos," this poem feels — paradoxically — much earlier than the "Tres cantos materiales."

The fresh approach of the "Tres cantos" was neatly and resonantly put across in Neruda's first editorial in *Caballo verde* (see p. 30). Though this statement is not yet 'committed' in the political sense, it is a slating attack on the concept of 'pure poetry' as preached by men like Juan Ramón Jiménez, and it can be read both as a careful definition of the kind of poetry which Neruda had just begun to write and as a manifesto to which virtually all Spanish-speaking poets who have felt any social involvement since the early '30s would willingly subscribe. His second editorial, "Los temas" (p. 32), is also a useful text. Between them, they get us far closer to the heart of his preoccupations in the period immediately prior to the Civil War than does the tracing of connections with French or Spanish Surrealism which the surface techniques of *Residencia en la tierra* seem to invite. Yet though Neruda never belonged to the Surrealist movement, and was always loth to admit to its influence on his work, *Residencia en la tierra* remains the finest collection of Surrealist poetry in the Spanish language.

The volume called *Tercera residencia* did not appear until as late as 1947, and it is a collection of poems written in very different moods. Only the first section of six poems (none included here) leads on directly from *Residencia en la tierra,* though the extensive "Las furias y las penas" (which takes up the whole second section) does continue the vein of bitterness affecting the treatment of sex in *Residencia II*. "Las furias y las penas" is too long to include here. Its title is based on a quotation from Quevedo, and it was actually written very much earlier than any of the other pieces in the book. Its egocentricity sets it apart from all the poems placed after it in the collection. When Neruda first published it, as a separate booklet, he appended a brief note which needs to be reproduced in full, because it explains the shift in mood over the intervening years so feelingly:

> En 1934 fue escrito este poema. Cuántas cosas han sobrevenido desde entonces! España, donde lo escribí, es una cintura de ruinas. Ay! Si con sólo una gota de poesía o de amor pudiéramos aplacar la ira del mundo, pero eso sólo lo pueden la lucha y el corazón resuelto.
>
> El mundo ha cambiado y mi poesía ha cambiado. Una gota de sangre caída en estas líneas quedará viviendo sobre ellas, indeleble como el amor.
>
> Marzo de 1939.

The world had changed, and his poetry had changed more drastically than one could ever have foreseen from reading the "Cantos materiales" or "Sobre una poesía sin pureza." Specifically 'political' commitment had come less than a year after the launching of *Caballo verde*, when the outbreak of the Civil War in July 1936, together with the murder of Lorca in Granada, had shattered the self-centred vision of *Residencia en la tierra*.

"Reunión bajo las nuevas banderas" (p. 32) is a formal rejection of the earlier mood, grounded both in a recognition of the need for "la lucha y el corazón resuelto" specified in that note, and in the recognition of a new form of personal identity based on identifying fully with his fellowmen:

> Yo de los hombres tengo la misma mano herida,
> yo sostengo la misma copa roja
> e igual asombro enfurecido:
>                                         un día
> palpitante de sueños
> humanos, un salvaje

cereal ha llegado
a mi devoradora noche
para que junte mis pasos de lobo
a los pasos del hombre.

The most obvious consequence of this change of heart was that Neruda's identification with a 'popular' cause obliged him to shed the elitist obscurantism of his previous poetry, in favour of a stark directness of approach designed to make his poetry intelligible to the masses it was meant to help. In doing this, he was following the example of many of his closest friends, although he did not take part in the renewal of the traditional ballad form in the topical *romances* of such men as Altolaguirre and Alberti.

"Reunión bajo las nuevas banderas" went on to define his new task in more positive terms, looking beyond the war itself, and seeing the poet's duty as being to proclaim a future dawn:

. . . no busco asilo
en los huecos del llanto: muestro
la cepa de la abeja: pan radiante
para el hijo del hombre: en el misterio el azul se prepara
para mirar un trigo lejano de la sangre.

In spite of this, what strikes one most about his earliest collection of 'committed' verse, *España en el corazón*, is its failure to achieve any real distancing from the immediacy of war. One of the earlier pieces in the sequence, "Explico algunas cosas" (p. 34), is an effective record of his personal response to the catastrophe, and his war poetry proved most successful precisely when using "los huecos del llanto" to record the harsh destructive side of strife, as in "Canto sobre unas ruinas" (p. 36). But parts of *España en el corazón* degenerate into raucous diatribe, such as "Sanjurjo en los infiernos" (p. 36). A similar stridency mars virtually all Neruda's political invective. His undoubted gifts as a social poet were always clearly lyrical and epic, not satirical.

Soon after the war began, Neruda finally left Maruca for Delia del Carril. This liaison was to last till 1955, but since Chilean law did not admit divorce they were never able to get legally married. Delia, whose sister was the wife of the novelist Ricardo Güiraldes, was much older than Pablo. She belonged to an aristocratic Argentine family, and she was rabidly left-wing, with that touch of extra vehemence which often marks the communist convert reacting against aristocratic antecedents. Delia was much more cosmopolitan than Pablo, and as she led him further into politics his cultural assurance also grew. Rodríguez Monegal sees her as playing the role of "la mujer que el poeta necesita para madurar completamente," [6] but her political role was even more important. Although Neruda would have become involved in politics in any case, at the time of the Civil War, it is noteworthy that his years as a really active political poet coincided with the period of her influence on his life.

Direct involvement in the Republican cause came when Neruda and Nancy Cunard, an Englishwoman, launched a small magazine called *Los poetas del mundo defienden al pueblo español.* Only one number of this appeared in Madrid. When the seat of government moved to Valencia, publication shifted to Paris and the title changed to *Les poètes du monde defendent le peuple espagnol.* Neruda's involvement on the side of the Republic had already led to his dismissal from his consular post, and when he reached Paris he joined the Peruvian poet César Vallejo in founding a Grupo Hispanoamericano de Ayuda a España, in April 1937. In July, he went to the International Writers' Congress held in Madrid and Valencia, also attended by Aragon and Ilya Ehrenburg (who became his close friends) as well as by Malraux, Hemingway, Alejo Carpentier, Vicente Huidobro, and Octavio Paz. Soon after this, Neruda returned to Chile to rally further support. *España en el corazón* — "comenzado en Madrid, 1936, y continuado en París" — was finished on the voyage. He arrived home on October the 10th, and the volume was brought out less than five weeks later by Ercilla, in Santiago. During those weeks, he had successfully created a left-wing Alianza de Intelectuales de

[6] *El viajero inmóvil* (1966), p. 92.

Chile (7th November) of which he became first president. He also began campaigning throughout Chile for aid to the Republicans.

Such campaigning often took the form, at least in part, of a recital of his poetry. Until then, when he had read his poems in public this had normally been to intellectuals, and he was to regard his first experience of reading to an audience of working men as one of the most important turning-points of his career. His account of what happened, given in 1954 in one of his rare talks on his own poetry, is a vital text for understanding many of his later attitudes. He had been invited to address the porters' union in the central market in Santiago. When the evening came, he had forgotten to prepare anything, grabbed coat and hat and a copy of *España en el corazón,* and hurried to the Vega Central.

He found himself seized by stage fright, when faced by the assembled *cargadores*:

> Frente a mí veía los rasgos duros de sus rostros, sus tremendas manos sobre el respaldo de las bancas. Casi todos tenían puestos sacos terreros a manera de delantales.

He could think of nothing to say by way of a proper speech, so he started reading out page after page of *España en el corazón,* going on from poem to poem until he had read almost the entire book.

Although *España en el corazón* is far more immediately intelligible than any of *Residencia I* or *Residencia II,* and though it is outgoing in its attitudes, he always regarded this as far from an easy book to understand and still far too obscure in its modes of expression:

> Está allí el interés hacia el mundo del hombre, hacia la verdad ensangrentada por el martirio. Pero el nudo de la oscuridad se está empezando a cortar solamente.

While reading it out on that occasion he was convinced that he was not getting anything across, and he felt "una terrible impresión de vacío" as he stared out at the men who sat there facing him in stolid silence.

> Los que no han estado en contacto con nuestro pueblo no saben lo que es el silencio del chileno. Es el silencio total, no sabes tú si es el de la reverencia o el de la reprobación absoluta. Ninguna cara te dice nada. Si quieres pescar un indicio flotante estás perdido. Es el silencio más pesado del mundo.

The reactions came only at the end, but their impact changed his priorities forever:

> Terminé la lectura de mis versos. Entonces se produjo el hecho más importante de mi carrera literaria. Algunos aplaudían. Otros bajaban la cabeza. Luego todos miraron a un hombre, tal vez el dirigente sindical. Este hombre se levantó igual a los otros con su saco a la cintura, con sus grandes manos en el banco, mirándome me dijo: "Compañero Pablo, nosotros somos gente muy olvidada, nosotros, puedo decirle, nunca habíamos sentido una emoción tan grande. Nosotros queremos decirle. . ."
>
> Y rompió a llorar, con sollozos que lo sacudían. Muchos de los que estaban junto a él también lloraban. Yo sentí la garganta anudada por un sentimiento incontenible.

That directly human experience proved crucial, in a number of ways.

Slightly earlier in the lecture in which he talked about that evening, he said "En aquel sitio comprendí que debía cortar en definitiva con muchos prejuicios," and immediately after that last narrative paragraph he moved away from the particular event to its general implications, clarifying the nature of his own response to its impact:

> Se habla mucho de si la poesía debe ser esto o aquello, si debe ser política o no política, pura o impura.
>
> Yo no sé leer estas discusiones. No puedo tomar parte en ellas.
>
> La retórica y poética de nuestro tiempo no sale de los libros.
>
> Sale de estas reuniones desgarradoras en que el poeta se enfrenta por primera vez con el pueblo. No se trata de que nadie le exija nada. Cuando yo leo las observaciones sobre mi poesía tengo que poner en la balanza muchos hechos. Sería largo contarlos.
>
> ¿Qué página puede pesar más en esta balanza que esa impresionante reunión humana?

Comencé entonces a pensar no sólo en la poesía social. Sentí que estaba en deuda con mi país, con mi pueblo. [7]

He then went on to discuss how this general feeling of indebtedness towards the Chilean people helped to shape the particular poetic project which, after an important widening of scope to bring the whole of Latin America into the field of reference, resulted ultimately in the *Canto general* (1950). But what matters most about that small incident is the way in which it led him to rearrange his own priorities. From then on he was always to regard the response of such an audience as the touchstone of his poetry, of far more account than anything which the academic critics chose to say, and reading to such audiences became an increasingly prominent feature of his life.

In August 1938, the Alianza de Intelectuales started to publish the *Aurora de Chile,* and its first ten numbers were edited by Neruda. [8] Then, after a change of government in Chile, Neruda was reappointed to the consular service in March 1939 by President Aguirre Cerda, with the specific mission of assisting the immigration of Spanish Republican refugees. He served as Consul Especial para la Inmigración Española in Paris from April to July of that year, and succeeded in organizing the departure of some three thousand Spaniards, who reached Chile shortly after the outbreak of the Second World War. Many of these would never have survived the purging of the refugee camps in France after the German occupation, and Neruda's success in this endeavour was the proudest achievement of his whole political career.

Whilst he was still back in Chile during the later stages of the Spanish Civil War itself, his father died in Temuco

[7] "Algo sobre mi poesía y mi vida," *Aurora,* No. 1, July 1954, pp. 11-12. The shorter account of the same episode in *Confieso que he vivido* (pp. 346-7 of the Losada edition, Buenos Aires 1974) differs in some minor details, and is far less revealing.

[8] It ran for twenty issues, publication being resumed only after a gap of fourteen years in July 1954, as *Aurora,* under very different circumstances and during a completely different period of Neruda's life.

on the 7th May 1938, and on the previous night (during the long hours spent waiting in a neighbouring room) Neruda composed the earliest of the poems which later went into the *Canto general*: the short piece finally entitled "Descubridores de Chile" (p. 60), in the fourth part of the *Canto.* [9] His stepmother died only a few months afterwards, on the 18th of August. The most moving tribute to her influence in his life is the poem called "La mamadre" (p. 140), in *Memorial de Isla Negra,* and there is a vivid evocation of José del Carmen Reyes in the course of the "Carta para que me manden madera" (p. 122) in *Estravagario* (1958). It was also during this stay in Chile that Neruda negotiated the purchase of the sea-captain's house at Isla Negra that was, much later, to become his permanent home. In spite of its name, it is not actually on an island, but stands on the rocky coast almost due west of Santiago, some two hours' drive south of Valparaíso. The "Carta para que me manden madera" refers to its later transformation by the poet. Besides giving its name to the *Memorial,* the setting of Isla Negra came to play an increasing part in his 'autumnal' poetry.

After the Spanish refugees had sailed for Chile on the "S. S. Winnipeg," Neruda wound up the affairs of his special mission, returning to Chile himself in January 1940. There he continued working on a number of poems which ultimately became incorporated into the truly continental *Canto general,* but at that stage what he had in mind was still no more than a *Canto general de Chile* — a title finally used to head the seventh of the fifteen parts which form the longer work. [10] The next phase of his public career was primarily responsible for the radical change of plan.

In August 1940, he was posted to Mexico City as Chilean consul-general. He held this appointment for just over three

[9] First published as "Almagro," together with four other 'anticipaciones' of the longer work, in *La Hora* (Santiago), 21st July 1940.

[10] He published a pamphlet called *Canto general de Chile* in Mexico in 1943, but this contains only three out of the twenty-eight poems that make up the part of the *Canto general* which bears this title, prefaced by the poem on Almagro (at this stage simply headed "Descubridores").

years, during which he visited Guatemala (1941), Cuba (April 1942) and New York (February 1943), besides travelling extensively in Mexico itself. Culturally speaking, Mexico City was by far the most exciting Latin American capital at that period, and it was his prolonged stay there which really widened his horizons and transformed him into a comprehensively 'Latin American' poet, conscious of a continental mission. The change was largely due to his friendship with Mexican intellectuals such as Diego Rivera and David Alfaro Siqueiros, two of the leading mural painters, whose pictorial reinterpretation of Mexican history exerted a profound influence not only on the general historical conception of the *Canto general* but also on its iconography and poetic imagery.

During this period Neruda wrote comparatively little poetry: only the nine poems chiefly on Second World War themes which form the final section of *Tercera residencia* (not represented here), of which "Un canto para Bolívar" might well have been taken over into the *Canto general,* together with a number of pieces which were indeed incorporated into it. His reputation in the Spanish-speaking countries of Latin America grew rapidly during these years, with the result that his journey back to Chile in 1943 was a two months' triumphal tour from one enthusiastic crowd to the next, in Panama, Colombia, and several Peruvian cities. This experience helped him to become more fully aware of the nature of his new political role as a 'poetic spokesman' for oppressed mankind throughout the Americas. In the course of this journey, he was taken by his Peruvian hosts to a ruined Inca city sixty-eight miles from Cuzco, a visit which later inspired the most famous of all his poems: "Alturas de Macchu Picchu" (p. 48).[11]

This sequence was not written until September 1945, almost two years after the actual visit, which had taken

[11] The proper spelling of the place-name is "Machu Picchu," since the first word does not contain the Quechua guttural represented by the first *c* of "Picchu." Neruda's own spelling has, however, naturally been followed in all quotations, as well as in the text itself, and also whenever reference is made to the poem rather than the place. The river flowing in the valley down below is normally called the Urubamba, but Neruda uses its other indigenous name — "Wilkamayu" — in line 213.

place late in October 1943. Although it was later used as the second of the fifteen parts of the *Canto general,* in 1950, it was originally published separately.[12] Its composition was a major turning-point in Neruda's life and poetry. The central symbol is his ascent to the ruins themselves, which stand high up on the jungled Amazonian slopes of the Peruvian Andes, on a saddle between two peaks — Machu Picchu and Huayna Picchu — fifteen hundred feet above a swirling river and over eight thousand feet above sea-level. The Spanish *conquistadores* never reached it, and the site remained unknown until its discovery in 1911 by Hiram Bingham. Present-day archaeological opinion regards it as a late Inca foundation, but part of the symbolic significance which it assumed in the poem undoubtedly came from the fact that Bingham took it to be the birthplace of the Inca race. Neruda treats it, indeed, almost as the source of all Amerindian culture.

In the poem, it becomes the centre of a complex web of associations with many disparate threads. Its meaning changes as the current of poetic feeling shifts between past and present, and Neruda's pilgrimage gradually becomes a personal 'venture to the interior,' in which he explores both his own inner world and the past history of Amerindian man. His account of the ruins is deliberately held back until the sixth section of the twelve-part sequence, but then the city turns out to be the place from which all other things make sense. His experience on the heights provides him both with the answers to his earlier personal dilemmas and with a dazzling illumination of the past, which then leads

[12] Loyola records six printings of the sequence in its entirety between 1946 and 1949 ("Guía bibliográfica" in Neruda, *Obras completas,* 3.ª edición, 1968, II, pp. 1362-4). It was not described as part of the *Canto general* until the third of these (Loyola No. 290), a *cuadernillo* printed to go with a recording which Neruda had made in April 1947. There are numerous minor differences between these early printings, as well as discrepancies between various editions of the *Canto general* itself. Save for the correction of obvious errors, the wording of the text in this edition follows the 1968 *Obras completas* (which has some claims to being authoritative, see p. LXXX); but as divisions between groups of lines were often eliminated in that edition apparently just to save space, I have (with three exceptions, all of which can be justified from the early printings) followed the line-grouping in the first edition of the actual *Canto general* (Talleres Gráficos de la Nación, Mexico, 25th March 1950 = Loyola No. 250).

through to personal identification with the Indians who once built the citadel.

Long afterwards, in the 1954 lecture quoted earlier, Neruda went on to discuss how his visit to Machu Picchu had definitively altered his earlier plans for a purely Chilean volume, already modified by insights he had gained in Mexico:

> Mi primera idea del Canto General fue sólo un canto chileno, un poema dedicado a Chile.
>
> Quise extenderme en la geografía, en la humanidad de mi país, definir sus hombres y sus productos, la naturaleza viviente.

Very soon, however, things had become more complex, as his Mexican experience made him aware of hidden correspondances whose existence he had never previously suspected:

> Muy pronto me sentí complicado, porque las raíces de todos los chilenos se extendían debajo de la tierra y salían en otros territorios. O'Higgins tenía raíces en Miranda. Lautaro se emparentaba con Cuauhtemoc. La alfarería de Oaxaca tenía el mismo fulgor negro de las gredas de Chillán.

It was at this stage in the slow evolution of his plans that Neruda was taken to see Machu Picchu, and all other ancient cultures faded into insignificance. In comparison, "las culturas fabulosas de la antigüedad," about which "los manuales de Historia" teach one as a child, "parecieron de cartón piedra, de papier maché." Machu Picchu was "aún más grandioso" than anything which he had seen even in the Far East: "La India misma me pareció minúscula, pintarrajeada, banal, feria popular de dioses, frente a la solemnidad altanera de las abandonadas torres incásicas."

As with that poetry reading in the Vega Central, the particular event had wider implications. His experience of Machu Picchu seemed not only to involve him directly, but also to have a general moral for the way in which all Latin-Americans ought to regard their past:

> Ya no pude segregarme de aquellas construcciones. Comprendía que si pisábamos la misma tierra hereditaria, teníamos algo que ver con aquellos altos esfuerzos de la comunidad americana, que no podíamos ignorarlos, que nuestro desconocimiento o silencio era no sólo un crimen, sino la continuación de una derrota.
>
> El cosmopolitismo aristocrático nos había llevado a reverenciar el pasado de los pueblos más lejanos y nos había puesto una venda en los ojos para no descubrir nuestros propios tesoros.
>
> Pensé muchas cosas a partir de mi visita a Cuzco [as part of which he had made the trip to Machu Picchu itself]. Pensé en el antiguo hombre americano. Vi sus antiguas luchas enlazadas con las luchas actuales.
>
> Allí comenzó a germinar mi idea de un Canto General americano. Antes había persistido en mí la idea de un canto general de Chile, a manera de crónica. Aquella visita cambió la perspectiva. Ahora veía a América entera desde las alturas de Macchu Picchu. Este fue el título del primer poema con mi nueva concepción. [13]

This statement was not made until well after the *Canto general* had been finished, and while the "Alturas" may indeed have been planned right from the start as a constituent part of the longer work, it is also important to see the sequence as a separate poem, complete in its own right. Its 'meaning' as an independent sequence is arguably different from that which it took on when framed between the first and third parts of the *Canto general.*

When it was composed, it was largely the product of a personal crisis whose resolution had led Neruda to adopt an active role in Chilean politics, and this immediate biographical context is of some importance for a full understanding of the part which its writing played in his development. During the time which had elapsed between visiting the ruins and writing the poem, Neruda had become a political figure in his own right. A popular coalition was formed, which included the communists, and Neruda accepted nomination as a senatorial candidate in the hardheaded northern mining provinces of Tarapacá and Antofagasta. It is characteristic that his election meetings were in part recitals of his poetry, and that his basic address to his

[13] "Algo sobre mi vida y poesía," ed. cit., p. 12.

constituents took the form of a long poem in which political and poetic rhetoric combine with great emotive power.

This "Saludo al norte" (p. 38) is a clear statement of his personal commitment to his platform as the spokesman of the oppressed, and it succeeds in being simultaneously a deeply intuitive lyrical utterance and a public political proclamation. Its basic approach displays a highly idiosyncratic blending of lyrical response to the austere beauty of the desert and passionate humanitarian zeal to improve the conditions of those obliged to work in such a harsh environment. This fusing of Neruda's sense of urgent humanitarian involvement with his lyrical feeling for nature characterizes the greater part of the primarily social poetry which he wrote over the next nine years. Indeed, both features lie close to the surface of his later and on the whole more personal poetry as well.

His campaigning in the north met with enthusiastic response from the mining communities, and he was elected to the Senate on the 4th of March, 1945. Soon afterwards, he was awarded the Premio Nacional de Literatura. This double recognition had a great effect on his morale, and confirmed his instinctive feeling that all his literary talents must be put at the service of his political cause. He very soon formalized his relations with the communists by becoming a 'card-carrying member' of the party on the 8th of July, and a few days later he went on a successful lecture tour of São Paulo, Rio de Janeiro, Buenos Aires, and Montevideo. Then, on his return to Chile, he went home to the peace of Isla Negra, and the "Alturas" were written during his first quiet days back by the sea he loved: "Escribí Macchu Picchu en la Isla Negra, frente al mar." [14]

In this sequence, he surveys and clarifies the whole of his spiritual development over the previous two decades. The first five sections hark right back to the moods and even the techniques of *Residencia en la tierra.* There is the same vain search for meaning in existence, the same fixation on death, the same use of syntactical ambiguity, the same

[14] Ibid., p. 13.

torrent of disturbing — and often disturbingly hermetic — images. Then, in the sixth section, all the questions he has posed are solved in the experience on the heights, which is almost one of 'revelation', and gradually the poem begins to change from personal catharsis into public poetry. In one sense, it can be read as an analysis of his progress over the years towards the overt political commitment which led him into Chilean public life. Yet that is clearly not its only level of meaning.

Divorced from its autobiographical context, the poem conforms to M. L. Rosenthal's description of it as "a typical modern poetic sequence: an account and contemplation of a symbolic journey through our malaise of spirit towards a vision of rebirth or renewal or at least possibility." [15] As such, it has as many meanings as there are readers who respond to it. But it is important to remember that in this case the "symbolic journey" did actually take place, that its "malaise of spirit" was the personal desolation of *Residencia en la tierra*, and that Neruda's inner "vision of rebirth" was conceived within one quite specific political framework, which seemed to him to offer his country something much more concrete than just a "possibility" of renewal. In itself, as written in 1945, the sequence ends on a positive note, for at that point in time he thought a new age was about to dawn in Chile.

As far as the earlier sections were concerned, however, Neruda was not wholly happy with the poem he had created. The personal element still intruded too much for him to regard the sequence as satisfactory, viewed from his committed standpoint, when he discussed its genesis in that lecture over eight years later:

> Como es la preparación de una nueva etapa de mi estilo y de una nueva preocupación en mis propósitos, este poema salió demasiado impregnado de mí mismo. El comienzo es una serie de recuerdos autobiográficos. También quise tocar allí por última vez el tema de la muerte. En la soledad de las ruinas la muerte no puede apartarse de los pensamientos. [16]

---

[15] *Saturday Review*, 2nd September 1967.
[16] Art. cit., p. 13.

The years between the composition of the "Alturas de Macchu Picchu" and the completion of the *Canto general* (finished on the 5th of February 1949, in hiding) were extremely troubled ones. At first things went well, though Neruda did find the pressures of public office very frustrating. The Communist Party joined a coalition to bring González Videla to the presidency of Chile in 1946, and Neruda found himself — rather to his own surprise — acting as the Jefe Nacional de Propaganda for the whole electoral campaign. (The sonnet "Salitre," p. 42, dates from this period.) The new president soon turned on the communists, however, moving steadily towards more absolutist rule.

With the home-press effectively muzzled from the 4th of October 1947, Neruda chose to publish an open letter denouncing the régime in a Caracas newspaper — *El Nacional* — on November the 27th, under the title *Carta íntima para millones de hombres.* When charged, as a result, with bringing his country into disrepute abroad, Neruda made a violent denunciation of González Videla on the 6th of January 1948, in a speech to the Senate which later appeared as a pamphlet called *Yo acuso!* He was deprived of his senatorial immunity by a decision of the Supreme Court on the 3rd of February. A warrant for his arrest was issued two days later, but he went 'underground'.

Many communists were imprisoned without trial in a concentration camp in the northern desert, at Pisagua, mentioned in the sonnet "La patria prisionera" (p. 43),[17] which aptly sums up the mood of communist resistance. Others continued their opposition *en la clandestinidad,* heartened by the underground press, whose most remarkable achievement was the publication of the entire *Canto general.*[18] For over a year, Neruda himself was passed from

---

[17] First printed under the title "Viva Chile!," in *Unidad,* No. 60, Santiago, during December 1947.

[18] A volume of 448 pages, with a photographic frontispiece showing Neruda with a beard, fifteen full-page illustrations and fifteen smaller ones (at the beginning and end of each part, respectively) by José Venturelli, and a photograph of Pablo and Delia in hiding. This was printed in sections, assembled, bound, and distributed from inside Santiago by the Partido Comunista de Chile. It bears a false imprint: *Impreso: Imprenta "Juárez" / Reforma 75 / Ciudad de México D.F.*; there were apparently various clandestine impressions during 1950, including a special printing on *papel pluma.*

house to house — often only hours ahead of the arrival of the security police — before finally being smuggled out across the Andes from Southern Chile into the Argentine, on horseback, on the 24th of February 1949. His crossing of the Andes, which was quite an epic in itself (described in full in the first half of his *Discurso de Estocolmo*, see pp. 209-213), was in its own way as moving and as formative an experience as the visit to Machu Picchu, or that early reading of *España en el corazón.*

Neruda's year of *vida clandestina* gave him the feeling of living at first hand among the masses for whom he had been campaigning, at a far more intimate level than he had known since childhood, as family after family undertook the courageous task of sheltering someone (whom they had usually never met before) simply because he was a party member on the run. It also provided him with an opportunity to complete the rest of the *Canto general:*

> Desde el primer momento comprendí que había llegado la hora de escribir mi libro. Fui estudiando los temas, disponiendo los capítulos y no dejé de escribir sino para cambiar de refugio. . . .
>
> . . . Fue algo nuevo para mí llegar a escribir poesía seis, siete y ocho horas seguidas. A medio camino me faltaron libros. A medida que profundizaba en la historia americana me hacían falta fuentes informativas. Es curioso como siempre aparecieron como por milagro las que yo necesitaba. En una casa hospitalaria y un poco campesina en que estuve, encontré dentro de un viejo armario una Enciclopedia Hispanoamericana. Siempre he detestado estos libros que se venden a plazo. No me gusta ver esos lomos, encuadernados para bufetes. Esta vez el hallazgo fue un tesoro. ¡Cuántas cosas que no sabía, nombres de ciudades, hechos históricos, plantas, volcanes, ríos! [19]

As he wrote, each section was passed on by courier for copying and safekeeping, and the various parts were only finally brought together when he was provided with a complete typescript to smuggle out of the country:

> Los capítulos que escribía eran llevados inmediatamente y copiados a máquina. Había el peligro de que si me descubrían

[19] Art. cit., p. 13.

> se perdieran los originales. Así pudo irse preservando este libro. Pero yo, en los últimos capítulos, no tenía nada de los anteriores, así es que no me dí cuenta exacta de cuánto había hecho hasta pocos días antes de salir de Chile. Me hicieron también una copia especial que pude llevarme en mi viaje. Así crucé la cordillera, a caballo, sin más ropa que la puesta, con mi buen librote. . . . [p. 14] Le hice una hermosa portada en que no estaba mi nombre. Le puse como título falso *Risas y lágrimas* por Benigno Espinoza. En verdad no le quedaba mal.[20]

Even in terms of size alone, the *Canto general* was by far Neruda's most ambitious project: in the third edition of the *Obras completas,* whereas all his previous collections of poetry fit into 244 pages, the *Canto* occupies 406. Given the peculiar circumstances under which so much of it was written, it was almost inevitable that the work should suffer from a certain lack of structural integration. In spite of this, it remains his greatest single achievement, and many of its constituent poems are among the best he ever wrote.

In its entirety, the *Canto general* covers the whole history and destiny of Latin America. As Neruda says in the opening poem, "Amor América (1400)" (p. 43), "Yo estoy aquí para contar la historia." He regards it as one of the duties of a committed poet to be in a sense the chronicler of his age, something which cannot be achieved in depth unless his age is seen in perspective — set against the background of the past. Many of the fifteen parts of the *Canto* deal, historically, with either the past or the present, but the pattern is not a simple one: just as Neruda's personal experience interacts with history in the "Alturas," autobiographical sequences interlock with the more obviously public ones in the structure of the *Canto.* Similarly, just as man's natural environment undergoes autonomous development in "Saludo al norte," so here the theme of the natural richness and exuberance of the continent is given ample treatment outside the strictly historical programme. Man and Nature are made to interact, both theoretically at the conceptual level of Neruda's general frame of reference and practically, at the level of poetic metaphor, in the highly complex

[20] Art. cit., p. 14, followed by two sentences taken from the previous page.

pattern of imagery which holds the *Canto* together. The interaction can be seen in almost any poem, but it can perhaps be most readily understood if one starts by examining the 'ramifying' associations of the *árbol del pueblo* in the opening poem of Part IV (p. 62), or by considering the relationships between Man and Nature in "Amor América" itself, placed at the beginning of the work as a kind of introduction.

"Amor América (1400)" opens the part entitled "La lámpara en la tierra," which was composed in hiding in Santiago in July 1948, after the bulk of the *Canto* had already been written. "La lámpara en la tierra" is, in a sense, a vision of the beginnings of the continent: almost a non-christian Book of Genesis (needing no God). It moves through poems on plants and beasts and birds to a section on four great rivers, as in Eden — but here they are the Orinoco, the Amazon, the Tequendama in Colombia, and the Bío-Bío in southern Chile. Next comes a section on minerals, seen chiefly in terms of how they have been exploited (in both senses of the verb) by man, and finally a section on mankind itself: "Los hombres" (p. 44). With man's entry, cruelty and death and suffering arrive, and the natural scheme of things becomes corrupted.

This theme is a feature of most Amerindian creation myths, and indeed of primitive thought in general, but there is something more specifically related to Neruda's Marxist frame of reference in the way in which he sees all evils — almost, one feels, the evil of death itself — as flowing from the corrupting effects of the theocratic forms of society which pre-Columbian man developed. It is not as though there were no death in Nature, or in extremely primitive societies, but rather that it seems to become a problem for Neruda only when one moves from a natural paradise (prior to all forms of complex society) into the age of 'feudal man'. Such organizing leads not merely to technological progress but also to man's inhumanity to man, seen at its ritualized worst in human sacrifice, and so to total 'alienation'. Only the most primitive forms of human society, such as those of the Caribbean islanders or of the Araucanian tribes of southern Chile, go uncriticized.

After a reading of "La lámpara en la tierra," and in particular when seen in the context of that final section on "Los hombres," the "Alturas de Macchu Picchu" seem to undergo a curious change. The original sequence had ended on a note of hope: Neruda had succeeded in tracking a number of his recurring preoccupations back to a point in time and space where they made sense, from which he could work forward again with a fresh urgency of purpose, his new task clearly in view. Seen in the later context of the *Canto general,* the "Alturas" become something more like *Paradise Lost,* although without the Christian doctrine of original sin. When man builds citadels on suffering, and the workers and the craftsmen die, we are left with a "mortal taste" to "all our woe," with consequential "loss of Eden." Milton's note of hope in redemption through Christ is replaced, in the *Canto general,* by Neruda's belief in the ultimate Marxist fulfilment of man's destiny in a classless society. But the time for this is now no longer just about to come. During the period since he had composed the "Alturas," Neruda's political hopes had been shattered by what he regarded as González Videla's great betrayal, which had outlawed Neruda's party and forced him into hiding. As a result, one finds that the *Canto* as a whole is dominated by the feeling that Latin America has a very long way to go indeed, before there can be any hope of entering an age of social justice.

After the "Alturas," the *Canto* moves straight into chronicle. The third part is devoted to "Los conquistadores," represented here by the poems on Almagro (written the night before Neruda's father died, in 1938) and Alonso de Ercilla (p. 61). Ercilla's Golden Age epic poem *La araucana* (1569-1589), which deals with the Spanish campaigns in Chile, provided Neruda with one of his most important poetic precedents — and he was to return to Ercilla again (see p. 176) at the very end of his final volume of political poetry, in 1973. The fourth part of the *Canto,* "Los libertadores," goes right through from the early heroes of Amerindian resistance (e.g. the Araucanian Lautaro, see "Educación del cacique," p. 64) to those of the Independence Period, and twentieth-century revolutionary heroes such as Emiliano Zapata (p. 66) or the Nicaraguan Sandino, and the great Chilean labour organizer Recabarren. The poem on Zapata is particularly interesting because of the way in which Neruda's *culto* text (rhetorically fairly elaborate, though directly intelligible as 'public' poetry) is made to interact with snatches of a popular *zapatista* song, and Neruda makes use of a popular form himself in the series of three Chilean *cuecas* on Manuel Rodríguez (p. 65), a *guerrillero* of the Independence Period.

Part V, "La arena traicionada," shifts to the adverse aspects of the twentieth century: modern tyrants, economic exploitation and its attendant social evils, an eight-poem sequence on one particular Chilean incident entitled "Los muertos de la plaza," and a swift survey of the state of affairs throughout the continent at the time of writing (called "Crónica de 1948") which ends with a savage denunciation of González Videla as *el traidor de Chile.* The autobiographical focus intrudes here in the disproportionate amount of attention devoted to Chilean affairs, with González Videla — who has gone down to history as a comparatively insignificant figure in continental terms — looming almost as large as Hitler might in a comparable survey of twentieth-century Europe.

As in *España en el corazón,* the vituperative poems are less satisfactory than those concerned with praising heroes or lamenting suffering, but the poetic techniques employed proved very influential, and such hostile pieces as "La Anaconda Copper Mining Co." (p. 68, which is concerned with Chile) and "La United Fruit Co." (p. 69, on the economic empire which dominated the 'banana republics' of Central America) have becomes classics in the rather special genre of anti-American satire.

Parts VI to VIII are "América, no invoco tu nombre en vano," the "Canto general de Chile," and "La tierra se llama Juan." The first of these had appeared independently in Mexico as early as 1943. It is a sequence of eighteen poems, ending with a short piece which defines some aspects of Neruda's commitment to his own continent, and this poem is itself called "América, no invoco tu nombre en vano" (p. 71). The "Canto general de Chile" is a long sequence of independent poems on Chilean themes, which acts as a kind of *remanso* in the general flow of the epic. It is represented in this anthology by piece on natural disasters ("Inundaciones," p. 71) and by the poem with which it ends: "Oda de invierno al río Mapocho" (p. 72), the river flowing through the centre of Santiago. This poem dates back to the period of Neruda's return to Chile during the Spanish Civil War. It is particularly interesting because it shows that the basic pattern of thought underlying the imagery which holds the *Canto general* together goes back many years before the composition of even the "Alturas de Macchu Picchu."

With "La tierra se llama Juan," we come abruptly back into the present: Neruda personalizes history by taking sixteen small specific incidents, all but one of them located in Chile. These poems are all centred on named individual working men and women, some of whom are in fact composite figures with fictitious names. Neruda's aim in this part is to show how "Detrás de los libertadores estaba Juan," as he puts it in the recapitulatory title-piece (p. 73) which ends the sequence. This line of thought links back both to the poem on the people's tree with which "Los libertadores" began (p. 62) and to the motif of an eponymous "Juan" established in the eleventh poem of the "Alturas" (see p. 59).

Parts IX and X are "Que despierte el leñador" and "El fugitivo." "Que despierte el leñador" is of some historical importance, since it gained him a share in the International Peace Prize at the second World Peace Congress in 1950. It was composed when Neruda was already in hiding, in May 1948. The *leñador* is Abraham Lincoln, and the sequence is an impassioned Whitmanesque appeal to Lincoln's spirit to avoid the consequences of the power-struggle between East and West which would be let loose if the United States were to pursue an expansionist policy by military means. Smuggled out of Chile, the sequence was first published in the supplement to a Buenos Aires newspaper, but it also circulated inside Chile in two clandestine editions produced by the communist underground. It is rather simplistic in the poems contrasting the U.S.S.R. and the United States, but ends with an effectively emotional appeal for peace.

"El fugitivo" is an autobiographical sequence, dealing with Neruda's period in hiding inside Chile. The poem given here, "Era el otoño de las uvas" (p. 74), relates to a time when he was hidden on the smallholding of don Julio Vega in Santa Ana de Chena, a few miles west of Santiago. This was the house where he found that useful Enciclopedia Hispanoamericana. During a second period of concealment in the same place, he finally brought the *Canto general* to a close (disguising the place-name to avoid compromising his hosts):

> Hoy 5 de febrero, en este año
> de 1949, en Chile, en "Godomar
> de Chena," algunos meses antes
> de los cuarenta y cinco años de mi edad.[21]

But that completion was still a long way off at the time described in "Era el otoño de las uvas," while "El fugitivo" itself, in which that poem occurs, is only the tenth of fifteen parts.

The next four shift backwards and forwards amongst the areas we have already met, but with much less structural coherence, and only the last of these four parts is represented in this collection. Part XI, "Las flores de Punitaqui," takes up several of the themes of the "Canto general de Chile," interweaving them with the more overtly social topics of "La tierra se llama Juan." Part XII, "Los ríos del canto," contains open letters to three living poets and elegies to the memory of two others (Silvestre Revueltas of Mexico, and Miguel Hernández). It disturbs the flow of the *Canto general,* and its inclusion was perhaps a mistake. Part XIII,

[21] *Canto general*: XV: xxviii: "Termino aquí."

"Coral de Año Nuevo, para la patria en tinieblas" — written for New Year 1949 — restricts itself to the Chilean situation.

Even Part XIV, "El gran océano," seems oddly at variance with the main scheme of the *Canto*, but it includes some of the finest poetry: many of its thirty-four poems reach the high standard of the "Alturas" (e.g. "Mollusca gongorina," p. 74, and "Leviathan," p. 76). Entirely on marine themes, it stands apart from the main body of the social poetry (which is firmly terrestrial in subject, although not in imagery), and it seems rather to foreshadow later books on natural topics such as *Las piedras de Chile* (1961), the *Arte de pájaros* (1966), or *Las piedras del cielo* (1970). Its three poems on Easter Island, which Neruda had as yet not visited himself, find their ultimate fulfilment in the twenty-five poem sequence called *La rosa separada* (1972), written towards the end of his life.

The very last part of the *Canto general*, "Yo soy," is Neruda's first attempt at a comprehensive poetic autobiography on the lines of the much later *Memorial de Isla Negra* (1964). The first poem of this final part, "La frontera" (p. 77), has already been referred to, and "El amor" (p. 78) deserves inclusion as Neruda's best poetic tribute to Delia del Carril, his companion throughout the most political period of his life. In many ways the most illuminating poem is the penultimate one, a brief thirteen-line text headed "A mi partido" (p. 80), which could have been almost equally well addressed to Delia, who had helped him to achieve the sense of values it enshrines. It is by far the clearest statement one could hope to find of what political commitment means to someone like Neruda.

This is something much more a matter of feeling than of anything resembling a programmed ideology or intellectual credo, and his conversion to communism was obviously in the nature of a spiritual experience. The poem could have been written in identical terms by a convert to any religious sect with a humanitarian ethic; but it is clearly with the utmost sincerity that Neruda attributes all the fundamental features of his positive vision of the world to the values he had discovered in and through the party to which he had given his allegiance. Three of its lines are crucial: "Me enseñaste a ver la unidad y la diferencia de los hombres"; "Me hiciste construir sobre la realidad como sobre una roca" (note the Petrine image); and "Me has hecho ver la claridad del mundo y la posibilidad de la alegría." Taken together, they are all we need to know to understand the way he had now come to view the world in which he lived, and hence to mirror it in poetry. Those features come through forcefully in all the best of his committed poems, when he is being positive, non-denunciatory, and constructive. They remain no less fundamental to the more personal poetry he wrote during most of the last twenty years of his life, when the polemical aspect of his overtly social poetry had virtually disappeared (with only a few exceptions).

After his escape from Chile in February 1949, Neruda spent just under two-and-a-half years in exile. Travelling unrecognized on a Guatemalan passport supplied by Miguel Angel Asturias, he arrived in Paris just in time to emerge into the public eye on the 25th of April at the first World Peace Congress, at which he was elected to the newly formed World Peace Council. This was a communist 'front' organization, sponsored by the Soviet bloc, and Neruda remained an active participant to the end of his life. Two months later he went to Moscow for the first time, as an honoured guest at the celebrations connected with the 150th anniversary of Pushkin's birth. He visited both Poland and Hungary in July, and in August he went with Paul Eluard to attend the Congreso Latinoamericano de Partidarios de la Paz in Mexico, where he stayed until the end of the year. The following March saw the publication of the first edition of the *Canto general*, in Mexico City, with endpapers by Rivera and Siqueiros, and the clandestine edition by the Chilean underground appeared soon afterwards.

From Mexico, Neruda went to Guatemala. Next he was in Prague, and then in Paris, where he remained until after the publication of a French translation of the first four parts of the *Canto general* in October. Then he went, via Rome, to New Delhi, to see Pandit Nehru on behalf of the World Peace Council; but he met with a somewhat cold reception (described at length in *Confieso que he vivido*). By November he was back in Europe, to attend the second World Peace Congress in Warsaw. At this, he was given the International Peace Prize for *Que despierte el leñador,* sharing the 1950 award with his friend Picasso and with Paul Robeson. From Warsaw, he went back to Czechoslovakia.

1951 began with a tour of poetry recitals in Italy, and this was followed by visits to Paris, Moscow, Prague, and East Berlin, where he attended the third World Youth Festival. After further travels, through the countries of the Socialist bloc, he took the Trans-Siberian Railway to Mongolia, going on to Peking (together with Ilya Ehrenburg, his closest Russian friend) to present the International Peace Prize to Mme. Sun Yat Sen on behalf of the World Peace Council. In 1952 he settled for some months in Italy, but was off on a trip to Berlin and Denmark in July and August. After a change of government in Chile, the warrant for his arrest was finally withdrawn, and on the 12th of August 1952 he made a triumphal return to Santiago.

His travels during the years of exile had consolidated his position as a leading cultural figure in communist international life. Numerous editions of his poetry appeared not only in various parts of Latin America, but also in translation in many of the Socialist countries, as well as in France, Italy, India, Palestine, Syria, and Iceland. Some English versions also began to appear, both in Great Britain and in the United States. His public life during this period was fully chronicled in a volume called *Las uvas y el viento* (published in Santiago in 1954), for which he had a great affection — he even thought, at one stage, of presenting it as a counterpart to the *Canto general.* A very extensive work, in twenty-one loose-knit (and often disparate) sections, it suffers badly from the pressures of his journeys and public appearances. It was not well received by either the critics or the general public. For great stretches, it is little more than a hasty and rather superficial public diary in verse, but it also contains some powerful poems, usually on themes already dear to his heart in earlier collections. "Vuelve España" (p. 88) is a fair example from the fourth section, which is called "El pastor perdido" — a reference to Miguel Hernández.

In his private life, Neruda went through the experience of a passionate love-affair with Matilde Urrutia (later his wife), for whom he was ultimately to leave Delia del Carril in 1955. Like Neruda himself, Matilde was from the south of Chile. Their romance started in 1951, it was interrupted by his numerous journeys, and it flowered in Italy in the early months of 1952. Its immediate consequence was a cycle of passionate love-lyrics called *Los versos del capitán,* whose joyful spontaneity is in striking contrast to the melancholy of the earlier *Veinte poemas de amor,* with which the six examples given here should be compared.

The sensuous richness is still there, but presented simply and directly, often using imagery derived from the frame of reference of the *Canto general* (e.g. "Pequeña América," p. 86). There is also an endearing note of domesticity (see "No sólo el fuego," p. 85) which emerged more fully when Neruda was able to settle down with Matilde in Isla Negra. In some poems of the *Versos,* such as "El monte y el río" (p. 84), he links his love for her to love for his country and his fellow-men. Personal though these lyrics always are, they relate to a pair of lovers aware of this wider horizon, unlike the egocentric adolescents of the *Veinte poemas.* The *Versos* were first published anonymously in Naples (8th July 1952) in a small private edition, and they went through four more anonymous editions, in the Argentine (1953, 1954, 1958, 1959), before Neruda publicly acknowledged them by including the whole cycle in the second edition of his *Obras completas,* in 1962. By that time, his authorship had become an open secret.

Soon after Neruda's return to Chile he began to write a new kind of socially committed poetry, the *Odas elementales,* which was linked to *Los versos del capitán* by its simplicity of form. His odes are written mainly in very short lines, interspersed with hendecasyllables, but their flexible pattern does not really break with the rhythms of the classical *silva* metre (inherited from the Italianate poets of the Spanish Golden Age). What Neruda does is, rather, to isolate the breath-groups, drawing attention to their separate contributions to the meaning and obliging the reader to give them greater weight within the relaxed structure. The first volume of *Odas elementales* appeared just after *Las uvas y el viento* in 1954, followed by the *Nuevas odas elementales* in 1956, and a *Tercer libro de las odas* in 1957.

Their basic attitudes are carefully defined in "El hombre invisible" (p. 89), with which the first collection begins. Here, Neruda sets out his view of the poet's function as a mere mouthpiece for whatever is potentially poetic in the experience of other men. This repudiation of his own attitudes prior to commitment is echoed in the "Oda a la poesía" (p. 104), but the core of the *Odas elementales* is the experiencing of simple things, whose intrinsic beauty is enhanced through their relationship with individual men and women in a social context. These 'things' may be substances like *madera* (p. 101), natural or manmade objects like *cebolla* (p. 95), *edificio* (p. 99) and *traje* (p. 107), or abstract concepts such as *claridad* (p. 97).

The subjects of these odes are always treated gently, deftly, and humanely, with a general lightness of touch not often found in Neruda's earlier work. He had always had a great sense of humour, which he had rarely allowed to emerge in his poetry, but the odes display a new and appealing streak of fun. The element of cheerful whimsy is seen at its best in parts of *cebolla,* or in *traje,* or in the delightful "Oda a los calcetines" (p. 109), the only poem included here from the second collection. By the time the third appeared (represented here by the untypically brief "Oda a la luz encantada," p. 111), the new form had begun to feel slightly overworked. Later still, it settled satisfactorily into place as one of a number of different techniques, to be used whenever apt.

From 1954 onwards, Neruda normally produced at least one book a year, and his writing during the last two decades of his life included some of the best poetry. The whimsical touch first apparent in the odes emerged more clearly in *Estravagario* (1958), the most delightful volume he ever published, most notably in poems like "Bestiario" (p. 124) or "Al pie desde su niño" (p. 117). It blends happily with his love for Matilde in "Pido silencio" (p. 112), and he uses it to poke fun at himself in "Sobre mi mala educación" (p. 118), "Y cuánto vive?" (p. 113) and "Muchos somos" (p. 116). The moods of *Estravagario* range widely, from the 'absurd' fantasy of something like "Fábula de la sirena y los borrachos" (p. 115) to the charming "Dónde estará la Guillermina?" (p. 120), about a childhood friend of his sister Laura, back in Temuco. Many poems of this collection have a touch of melancholy, and there is a renewed preoccupation with the passage of time and with the theme of death. In greater or lesser measure, these feelings colour all the poetry of the 'autumnal' period which began with *Estravagario.*

*Navegaciones y regresos* (1959), not represented here, was originally published with a note describing it as a fourth volume of *Odas elementales;* but although thirty-four out of its fifty poems are actual odes, it also includes a wide variety of other forms. The same year saw the appearance of his longest single tribute to Matilde, the *Cien sonetos de amor.* In these, he abandoned rhyme completely so as to break with the polished formalism of the traditional Petrarchan sonnet, writing a cycle of rough-hewn "sonetos de madera" grouped together under four headings: "Mañana" (I-XXXII), "Mediodía" (XXXIII-LIII), "Tarde" (LIV-LXXVIII), and "Noche" (LXXIX-C).

These sonnets display a controlled intensity of feeling, quietly modulating many moods — happiness and desire, the celebration of Matilde's beauty, fulfilment, sadness, and a continual consciousness of time and individual death. Less fierce than *Los versos del capitán,* the *Cien sonetos* succeed in combining the positive attitudes of the *Versos* with the complex nature-symbolism of the *Veinte poemas,* building up a sensuous world of correspondances in which the life of the lovers interconnects with every aspect of the passage of the seasons in the countryside of Chile. One of the four examples included here (No. LXVII: "La gran lluvia del Sur cae sobre Isla Negra," p. 128) shows this process with particular clarity, and its final tercet is almost a summary of Neruda's own techniques throughout the greater part of his autumnal poetry:

> y así teje y desteje su red celeste el día
> con tiempo, sal, susurros, crecimientos, caminos,
> una mujer, un hombre, y el invierno en la tierra.

By contrast, his next volume was in many ways a reversion to the more political poetry of much of the *Canto general*. *Canción de gesta* (1960) started out as a volume about the political and economic plight of Central America and the Caribbean countries, but it turned into Neruda's personal tribute to the Cuban revolution (see "La gesta," p. 129, which deals directly with Fidel Castro's campaign). [22] It was followed in 1961 by *Las piedras de Chile* and *Cantos ceremoniales*. The former is a cycle inspired by rocks along the shore at Isla Negra (each poem was originally accompanied by a photograph), their varied shapes being glossed with gay, grave or tender reflections on related themes. "Casa" (p. 131) is a good example, and it brings together many of the lines of thought on *piedra* which had been so prominent in his verse from the "Alturas de Macchu Picchu" onwards.

*Cantos ceremoniales* is a much larger work. It consists of nine sonorously incantatory cycles, with the kind of ritual and epic overtones suggested by the title. They are all too long to include here — and it would be as unfair to divorce any short section from its context as it would be to do so to a section of the "Alturas." Many of the themes treated had been at least partially developed in the *Canto general*. Thus

[22] Consequently, it had to be omitted from the 1962 and 1967 *Obras completas* lest the Argentine government should confiscate the entire printing. Despite the end of military rule, continuing political uncertainties have kept *Canción de gesta* out of the 1973 edition. First published in Havana, *Canción de gesta* was also printed in Chile in 1961, and in Montevideo in 1962 and 1964.

"Oceana" is a magnificent reprise of "El gran océano." Other sections anticipate key-subjects of later collections: the cycle "Toro," for instance, leads forward to the sequence on the Spanish Civil War in the autobiographical *Memorial*, rather than harking back to the moods or methods of *España en el corazón.*

With *Estravagario* and *Cantos ceremoniales,* the reinterpretation of experience, and in particular of the specific experiences of his own past life, begins to take on an almost obsessive character in Neruda's poetry. The social frame of reference is still there (the Marxist way of viewing "la unidad y la diferencia de los hombres"), and it remains at least as important a part of the conceptual background as it was in *Los versos del capitán,* but the programmatic impersonality of a large number of the odes gives way to a more personal concern with things as they impinge on Neruda himself.

The clearest statement of his new attitudes comes in a slim transitional volume called *Plenos poderes* (1961): "Deber del poeta" (p. 131) and "La palabra" (p. 132) make a revealing contrast to the prefatory "El hombre invisible" (p. 89) of the *Odas elementales,* and "Regresó el caminante" (p. 136) is the closest which Neruda — at no time an 'intellectual' poet — ever gets to a conceptualized statement regarding his experience of time. The results of his changing and evolving attitudes come across with striking efficacy in the quiet "En la torre" (p. 134), whose *torre* is the stone-built study of his house at Isla Negra, while "Los nacimientos" (p. 135) is a moving statement on birth, life and death, essential to one's understanding of his later autobiographical poetry. Its last line, "No tienes más recuerdo que tu vida," would be the perfect epigraph to the *Memorial de Isla Negra,* which Neruda published in 1964 on his sixtieth birthday. This recapitulatory survey came at a good point in time.

During the period of almost twelve years since his return from exile, Neruda had consolidated both his position as the leading poet of the Spanish-speaking world, and his position as a left-wing cultural figure of international stature. In 1953, he received the Stalin Peace Prize — later retrospectively renamed after Lenin. At the beginning of 1954, his fiftieth year, he gave an important series of talks on his poetry (which have still not been published in their entirety) in the Universidad de Chile, to which he presented his library soon afterwards. On his fiftieth birthday, tributes were paid to him throughout the Socialist republics, as well as in most countries of Latin America.

From 1956 onwards, he travelled extensively with Matilde every year, giving readings of his poetry and attending to World Peace Council business. Each year, however, they would come back to spend the Chilean winter — Neruda's favourite season — in Isla Negra. Their journey in 1957 was of particular interest, taking them to the Far East, where he revisited many of the places in which he had been stationed, and large parts of *Estravagario* were written on this trip. In the same year, Neruda was elected president of the Sociedad de Escritores de Chile, and it was also in 1957 that the first edition of the *Obras completas* was published in Buenos Aires. [23]

By 1964, his reputation had extended far beyond the Socialist and Spanish-speaking countries which had honoured him on his fiftieth birthday, ten years earlier. Oxford was about to make him its first Latin American literary honorand, [24] and this D. Litt. *honoris causa* was the first such academic recognition of his poetry in any non-Socialist country outside Latin America, although his name was already being frequently mentioned in connection with the Nobel Prize. On the political side, he had not stood again

[23] The *Obras completas* went into their fourth edition in 1973, a few months before Neruda's death. Unfortunately, none of these editions (all by Editorial Losada) has been anything like complete, despite increasing size: *1.ª edición* (1957), 1264 pp.; *2.ª edición* (1962), 1923 pp.; *3.ª edición* (1968), two volumes, 1588 + 1649 pp.; *4.ª edición* (1973), three volumes, 1047 + 1236 + 1239 pp. The last collection included in the fourth edition is *Geografía infructuosa* (1972); unfortunately, the inclusion of the *Discurso de Estocolmo* as a prefatory statement has led to the omission of the important talk "Infancia y poesía" (1954), used by way of preface in all previous editions.

[24] The formal invitation itself was issued in February 1965, and the degree was conferred on the 1st of June. The photograph used as frontispiece was taken on the 31st of May 1965, when he was interviewed in Oxford by the Press.

for election to the Senate since his return to Chile in 1952, and had indeed virtually withdrawn from routine politics. On the other hand, he remained on the Central Committee of the Chilean Communist Party, he was much in demand as a speaker at political rallies, and he campaigned very actively all over Chile for Salvador Allende in the presidential elections of 1958 and 1964 itself. [25]

It was in the light of all these events that he reviewed his life, as his sixth decade was drawing to a close, and he gave poetic attention to all its aspects. In its definitive form, the *Memorial* contains one hundred and two poems. [26] These are grouped into five parts: I, "Donde nace la lluvia" (first published separately the year before, in Italy, as *Sumario*), twenty poems; II, "La luna en el laberinto," twenty-three poems; III, "El fuego cruel," twenty-two poems; IV, "El cazador de raíces," eighteen poems; V, "Sonata crítica," nineteen poems. Taken together, they constitute a sensitive and discerning exercise in self-examination and self-criticism.

Part I opens with a very simple piece, "Nacimiento" (p. 138), which may be usefully compared to "Los nacimientos" (p. 135) from *Plenos poderes.* It leads into a sequence which is predominantly anecdotic in its evocation of key figures or incidents of his early life, ending with his first days in Santiago as a student. Some major themes or preoccupations already come in, however, as the basis of independent poems, for example "La condición humana" (p. 141) and "La injusticia" (p. 142). Part II runs from the genesis of *Veinte poemas* to the completion of *Residencia en la tierra,* and it is represented here by two poems: "1921" (p. 144) and "Amores: Rosaura (II)" (p. 145). Rosaura is the name now given to the second girl of *Veinte poemas:* the "Marisombra" of Santiago (see p. XVIII above), whom he had earlier contrasted to the Temucan "Marisol" — renamed "Terusa" in the first two love-poems of the *Memorial.*

[25] On both of these occasions, Allende was defeated; but the actual election of 1964 was still almost two months away when the *Memorial* was published on the poet's sixtieth birthday.

[26] The 1964 edition ended with a further sequence headed "Amores: Matilde," subsequently transferred — with only minor changes — to the beginning of *La barcarola* (1967).

The "fuego cruel" of the title of Part III refers to the Spanish Civil War, and its long opening poem has the same name; but this part harks back to Neruda's years in the East as well, and also covers many years in Chile after the Civil War was over. Of the three poems included here, "Tal vez cambié desde entonces" (p. 147) examines the changes in his attitudes brought about by the Civil War, doing so with far greater detachment than he had achieved in *España en el corazón* or "Reunión bajo las nuevas banderas" (p. 32); while "El mar" (p. 148) and "Mareas" (p. 149) — on a subject which acquires increasing prominence as the years go by — are representative of the 'thematic' poems with which the 'anecdotic' texts are interspersed more frequently from this stage of the *Memorial* onwards.

Theme dominates anecdote almost completely in Part IV, concerned with Neruda's search for his own roots after his return to Chile in 1952 (see the opening poem of this part, "El cazador en el bosque," p. 149, and the sixth one, "Lo que nace conmigo," p. 151). The time sequence is totally abandoned in Part V, largely concerned with the nature of his own quest into the past and the relationship between the past and the present (see "La memoria," p. 152). Taken as a whole, this "Sonata crítica" is a heterogeneous and not wholly satisfactory sequence, pivotting on a long but very fragmented poem on communism called "El episodio" (too extensive for inclusion here). This dealt with the poet's changing views on Stalin after de-stalinization and reaffirmed Neruda's party loyalties, at a time when both poet and party were coming under violent attack from the Christian Democrats in the context of the Chilean presidential election of 1964. The other poems are closer in tone to the rest of the *Memorial,* and poetically much more effective.

Taken as a whole, the *Memorial* is a remarkable achievement. Even if its structure does disperse towards the end, the sequence remains a penetrating piece of autobiographical analysis, but one has to approach it with a proper understanding of its nature: it is not a factual record of events. In spite of the presence of so much anecdotic material, it is never simply straight autobiography in verse: truth to feelings, rather than factual accuracy, is the dominant consideration. When one goes to the *Memorial* for the elucidation of some earlier phase or episode, one must always remember that it is not a historical document but an interpretation of experience. It deals with the salient features of Neruda's life as he sees them at the age of sixty, and just as the balance between different items is one that has been achieved only as a result of the perspective of memory, so does the precise colouring of individual items depend at least as much on what he now knows that they were leading up to as it does on the way in which he saw them at the time.

It is a notably honest document: self-exploration rather than self-justification, with scant special pleading other than in "El episodio," where one is conscious that the element of genuine self-criticism is coloured by the kind of uneasiness of conscience which most communists displayed after de-stalinization, when re-examining their former attitudes. Elsewhere, the frame of reference may be that of a Marxist vision of the world, but what matters is the depth of the general humanitarian ethic which informs Neruda's vision and the sense of identity with the soil as well as with mankind which emerges at every point of contact between the poet and the world around him. The real subject of the *Memorial* is his development towards this attitude, and his own assessment of what he views as the decisive steps in its formation.

One might have been forgiven for regarding the recapitulatory *Memorial* as something in the nature of a closing chapter to Neruda's career, to which any subsequent poetry would be merely an epilogue in the same vein. Anyone who did so, however, would have been gravely mistaken. One of the most striking features of Neruda's long career was his unfailing capacity for self-renewal: his ability to come up time and again with something unpredictable, in a new phase whose technical innovations would disconcert his readers, often preventing them initially from seeing that it had nonetheless grown in a perfectly organic way out of all that went before. Its metamorphoses were stages in what can now be seen to have been a natural process of development. The years between the publication of the *Memorial* and the award of the Nobel Prize for Literature to Neruda in 1971 (the ultimate mark of world acclaim) were to see a number of such surprises, although several of the collections which he published during those seven years were clearly in the line of either *Estravagario* or the *Memorial* itself.

Still in 1964, he published a translation of *Romeo and Juliet* which proved immensely successful, but his first book of original poetry after the *Memorial* did not appear until 1966. This was *Arte de pájaros,* first published in a splendid limited edition with numerous colour plates by four leading Spanish-American artists. Its first two parts, called "Pajarintos" and "Intermedio," bring the series of poems on birds which had begun with various items in the *Canto general* to an impressive conclusion, in a loving survey of all the main Chilean species. The prefatory "Migración" (p. 153) is perhaps one of Neruda's finest and most tranquil poems on any natural subject. Even in the poems on specific birds, humour is never far away, but it comes into its own in the third and final part, in which the note of whimsy seen in *Estravagario* is taken to an extreme which often resembles English 'nonsense' verse, in a sequence of outrageously preposterous invented "Pajarantes," with punning names and macaronic 'learned' Latin forms in brackets, such as the *tontivuelo* (or *Autoritarius Miliformis,* p. 156). In the same year, Neruda published a book of often highly poetic prose pieces on his home at Isla Negra, called *Una casa en la arena,* which also included two new poems.

*La barcarola* (1967), whose actual composition overlapped in time with that of *Arte de pájaros,* prolonged the self-analytical approach of the *Memorial.* It begins by reworking "Amores: Matilde" from the end of Part V of the first edition of the *Memorial,* to use this as the opening section of a thirteen-part autobiographical sequence, covering the first twelve years of his life with Matilde. Interpolated between its sections come twelve numbered "episodios," some of which deal with personal memories recorded for Matilde (e.g. "Las campanas de Rusia," p. 158) while others are more in the epic vein of the *Canto general* or *Cantos ceremoniales.*

Its most striking feature is a technical one: the whole book is written in long and sonorous heavily accented lines, generally with six stresses, which is related both to the classical hexameter and to some of Rubén Darío's metrical experiments — one of the twelve "episodios" ("R. D.") is devoted to Darío himself, the centenary of whose birth fell in the year *La barcarola* was published. Prior to "Amores: Matilde," Neruda's only use of such a metre was in one short poem ("José Miguel Carrera: antístrofa") in the fourth part of the *Canto general.* In the original edition of the *Memorial,* the sudden switch to the new metre (in the concluding section of the "Sonata crítica") had seemed out of place, and was one of the features which had marred the structure. Developed on its own, as an entirely separate 'epic' metre, it gives *La barcarola* a striking unity of tone, and Neruda explored its rhythmical possibilities to the full. Despite such variations, its heavy beat becomes too insistent if one reads straight through the book, and the new metre is at its most effective when a section is read in isolation.

The fourth of the "episodios" of *La barcarola* is called "Fulgor y muerte de Joaquín Murieta." The subject fired Neruda's imagination, and that "episodio" proved to be the anticipation of a full-length play of the same name — Neruda's only dramatic work. The expanded *Fulgor y muerte de Joaquín Murieta* was printed slightly earlier in 1967 than *La barcarola,* and given its first production in Santiago in October that year. It deals with the life, love, sufferings, and death of a Chilean who took part in the Californian gold-rush, and who was (on Neruda's interpretation) forced into banditry by Yankee terrorisation of the Latin immigrants. An experiment on Brechtian lines, it resembles *Die Dreigroschenoper* and *Aufstieg und Fall der Stadt Maha-*

*gonny* in various ways: thematically, both its anti-capitalist thesis and a number of its individual scenic motifs are very similar, it makes a similar use of multi-media techniques, it employs the same kind of crosscutting between tragical and farcical elements, and it punctuates the progress of the action in the same way with lyrical interludes and *canciones* written to be sung by a 'popular' street-singer. It makes extensive use of a chorus, in the Greek tradition, and Neruda also talks of being influenced by a Noh play which he once saw in Yokohama. In a prefatory note, he describes it as being in intention simultaneously "un melodrama, una ópera y una pantomima."

It reads well, and it has had several effective productions (in various languages), but it has undoubted dramatic weaknesses. Though his voice is heard off-stage, Murieta himself never appears until his severed head addresses the public in the closing *cuadro*, and the decision to let one hear about him without seeing him is more that of a poet than that of a dramatist. Hearing about him can enhance his stature as an epic hero, but the lack of his physical presence robs the play of its focal point. At the same time, the lyrical and tragic scenes are too strong for the crosscutting between them and the farcical level to be effective, since their poetic intensity shows up its thinness, and its cardboard caricatures fail to convey the intended venom of the anti-American polemic. Its strengths and weaknesses are, in fact, very much those of Neruda's political poetry: noble in praise, but ineffectual in satire. Yet many of the individual scenes have great lyrical beauty and considerable dramatic power, and Neruda makes use of the sonorous epic metre of *La barcarola* to great effect both in some of the choral passages as well as in those ascribed to the Voz del Poeta.

The 1968 text of *Fulgor y muerte de Joaquín Murieta*, published in Vol. II of the *3.ª edición* of the *Obras completas* only a few months after the first production, varies in many particulars from the first edition. All the changes were brought about during rehearsals, in a workshop atmosphere which gave Neruda special pleasure because he felt that he was at last participating directly in a collective enterprise.[27] As printed here (p. 157), the closing speeches of the play follow the definitive version. The play's chief message — a condemnation of violence, racial hatred, and injustice — has a universal relevance, and its extended significance comes across effectively at many points. The moral is applied directly to such twentieth-century situations as the Spanish Civil War, the plight of the American negro, and the war in Vietnam (about which Neruda also felt very strongly) in the street-singer's *canciones*.

Two further books appeared for the first time in Vol. II of the 1968 *Obras completas*. *Comiendo en Hungría,* written by Neruda and Miguel Angel Asturias in praise of Hungarian food and wine (the *Obras* only gave Neruda's contributions — seven in poetry and the rest in heightened prose), and a collection of short poems called *Las manos del día.* Parts of this are an 'examen de conciencia': Neruda seems weighed down by a feeling of guilt that he has never done anything to benefit his fellow-men with his own hands (see "Las manos negativas," p. 161), and this preoccupation with the proper use of life gives Neruda's old obsession with the way time passes a new twist. There is also a heterogeneous assortment of poems of varying merit, including some bitter occasional pieces, but at their best the poems of *Las manos del día* have great dignity, and they were leading up to a new and deeper kind of introspection (see "El hijo de la luna," p. 162, and "La mano central," p. 163).

In 1969, "faltando algunos días para sus sesenta y cinco cumpleaños," Neruda wrote a beautifully sustained reflective poem in four hundred and thirty-three lines (too long to include here) divided into twenty-eight sections. Composed on the 5th and 6th of July, it appeared under the briefest of all his titles, *Aún,* a few months later. It is unrhetorical, and the verse flows gently on, impelled by a sad intensity of feeling. Detached from the past, yet totally

[27] This came out frequently in our conversations at Isla Negra, soon after the first production, and again when we were going over the text in connection with its first radio performance in England in a translation by Willis Baarnstone, in 1972, which I had revised for the BBC at Martin Esslin's request.

involved in the process of self-examination, Neruda seems to be looking at himself more objectively than in the *Memorial,* and he had never succeeded in phrasing quite so clearly how the land where he was born had always moved and steered him:

> Perdón si cuando quiero
> contar mi vida
> es tierra lo que cuento.
> Esta es la tierra.
> Crece en tu sangre
> y creces.
> Si se apaga en tu sangre
> tú te apagas. [28]

By contrast, the other volume published in 1969 — *Fin de mundo* — was a long one, containing a hundred and twenty-three poems. All except the free-verse prologue are in nine-syllable lines. *Fin de mundo* is a hard-eyed looking back, not just over Neruda's life but on the whole twentieth-century world. The vision is sad, even gloomy at times, and Neruda shows a personal outspokenness — about both individuals and public issues — foreign to almost everything which he had published for some sixteen years. Neruda is critical even of Russia, and one can watch him being torn in two ways in "1968" (p. 163), which records the mood of crisis that overwhelmed him when the Russians invaded Czechoslovakia. This crisis was felt in personal terms by most communists, but when the Chilean Communist Party finally decided to support the Soviet action, Neruda sadly went along with his party — in a black mood of utter *desengaño.* Throughout the book the views expressed are passionate, yet their verse statement is consciously prosaic. Lyrical intensity is reserved for some elegiac passages, but even these are muted by the intentional drabness of the verse itself. Only a few poems are more personal, and brighter. The volume includes two new and interesting "Artes poéticas," both given here (p. 165, p. 166).

---

[28] *Aún* (1969), VI.

In 1970 Neruda produced another surprise, *La espada encendida,* which uses a variety of metres, including both the nine-syllable lines of *Fin de mundo* and the free-form of the odes. Whereas *Fin de mundo* had, with the exception of a handful of poems, been quite out of line with the *Memorial,* not only in its metre but also in both tone and content, *La espada encendida* reverted to the tone and imagery of the *Memorial,* but it did so in a framework unlike any that Neruda had tried before. His epic poetry had often had both a prophetic ring and some of the quality of myth, but this was his first (and only) venture into total myth in the manner of Blake — two of whose important poems he had translated thirty-five years earlier (see p. XXIII above).

His story is set in the south of Chile, in a snowbound Patagonian Eden, after the theocentric age of creation has been brought to an end by some unspecified manmade catastrophe, which one presumes to have been a nuclear holocaust. The poem shows Rhodo and Rosía, an old man and a young woman who turn out to be the Last Man and the Last Woman of the age that has disappeared, meeting in wonderment and finding their fulfilment in "El amor" (p. 167). Slowly, as their emotions deepen and mature, they discover that they are the Adam and Eve of a new — and wholly anthropocentric — dispensation. With the coming of knowledge, however, they are driven out of Eden like the first Adam and Eve, the "flaming sword" of Genesis (iii: 24) becoming in Neruda's myth the pillar of fire that towers above a menacing snowclad volcano in eruption.

The meeting of Rhodo and Rosía, and the growth of their love in the desolate woods of the south, occupies the first thirty-six of the myth's eighty-seven poems. Thereafter, the volcano plays an increasing part, gathering strength beneath the earth as the tale progresses until it finally bursts out in all-devouring flame. Its development is chronicled in fifteen poems interpolated into the human narrative, all but the twelfth of which are called "Volcán." These poems emerge as the most powerful element in the book, and three of them are included in this anthology: the ninth

(LXIII, p. 168), the twelfth (LXXI: "La espada encendida," p. 168) and the fifteenth (LXXX, p. 169).

Strong in their mutual love, Rosía and Rhodo sail out into the world in a new ark laden with escaping birds and beasts. As they draw clear of the land, they realize that the old god has died and that they are themselves the gods of the new age:

> el Dios sin nuevos frutos
> había muerto y ahora
> pasó el hombre a ser Dios.
> Puede morir, pero debe nacer
> interminablemente:
> no puede huir: debe poblar la tierra,
> debe poblar el mar: sólo los nuevos dioses
> mordieron la manzana del amor. (LXXIX)

The sequence concludes with a tranquil landing on new shores, the need to bake new bread, and hence the kindling of new fire:

> Dice Rhodo: Déjame el hacha.
> Traeré la leña.
> Dice Rosía: Sobre esta piedra
> esperaré para encender el fuego. (LXXXVII)

There the poem ends, with the future left unclear. Its total impact is more emotive than persuasive: the richness of the imagery, especially in the erotic and volcanic sequences, overloads the basic myth, but it does often exhibit a compulsive urgency. This seems to stem at least in part from the mood of revulsion at the twentieth-century world that dominated *Fin del mundo,* with which its composition overlapped.

In 1970, Neruda also published *Maremoto,* a long poem in the tradition of *Cantos ceremoniales,* and a slim collection of poems on precious and semi-precious stones called *Las piedras del cielo* (not represented here). Virtually the whole of that year was taken up with politics. As in 1958 and 1964, Neruda was involved in the presidential election campaign, but this time he had to play a more prominent part. In September 1969, during the first round of negotiations which finally led to the adoption of his close friend Salvador Allende as the candidate of a left-wing coalition, called Unidad Popular, Neruda had agreed to accept nomination as the communist 'precandidato.' The negotiations proved both complex and protracted: for some months it looked as though the coalition would never coalesce, and Neruda began to fear that he might actually have to run for president. It was with great relief that he was finally able to stand down in favour of Allende, on whose behalf he campaigned arduously up and down the country — in spite of ill-health.

Although Allende did not obtain an absolute majority when the election was held on the 4th of September 1970, he polled more votes than either of the other candidates: 36.3 % to Alessandri's 34.98 %. Radomiro Tomic, the Christian Democrat, came third with 27.84 %. Where no candidate has an absolute majority the issue goes to the Congress, and Allende's election was ratified by Congress on the 24th of October, when the Christian Democrats voted to confirm him. It was important that Allende's highly controversial Marxist regime should project a good image abroad, and in March 1971 Neruda agreed to serve as Chilean ambassador in Paris, where his cultural prestige did much to help the standing of Chile's 'democratic revolution.' He held the post for almost two years, till he had to resign because of serious illness. Neruda was awarded the Nobel Prize for Literature during this period, on the 21st of October 1971. He went to Stockholm to receive it on the 13th of December (see Appendix for his *Discurso de Estocolmo*).

*La espada encendida* appeared on the 24th of September 1970, only a few weeks after the election and before Allende's presidency had been confirmed. Soon after Allende's confirmation by the Congress, Neruda saw *Las piedras del cielo* through the press, and it came out just before Christmas (15th December 1970). At the beginning of the New Year, Neruda made a journey to Easter Island with a team from Canal 13 (Chile's cultural television channel) to shoot scenes for a projected TV documentary. As mentioned earlier, he had included three poems on Easter Island in "El gran océano," the penultimate part of the *Canto general.* He had pondered the mystery of its statues ever since. His visit in January 1971 was in some ways a counterpart of his ascent to Machu Picchu in 1943, and it inspired a long poetic sequence called *La rosa separada.* He had barely started on its composition when he received Allende's invitation to represent Chile at the Quai d'Orsay, where he presented his credentials in April 1971.

Under the pressure of his ambassadorship, Neruda could write little poetry in Paris, and he was also already a sick man. Shortly before the announcement of his Nobel Prize, an operation had disclosed a malignant tumour. He was still convalescent when he made the journey to Stockholm, and on his return to Paris he decided that he must find a quiet refuge somewhere within driving distance of the capital. He used some of the money from his Nobel Prize to buy a converted slate-mill at Condé-sur-Iton, in Normandy. Here, he completed two books: *Geografía infructuosa* (published in May 1972) and *La rosa separada* (first published in a limited edition that December, in France).

*Geografía infructuosa,* which consists of thirty-three poems, includes not only verse written in France but also the miscellaneous output of the period before Neruda left Chile. He liked his books to have some kind of shape, with either a single mood or a balanced structure, and he was very conscious of this collection's lack of unity. He appended the following *Nota declaratoria:*

> El año 1971 fue muy cambiante para mis costumbres. Por eso y no por parecer enigmático sin razón especial dejo constancia de desplazamientos, enfermedades, alegrías y melancolías, climas y regiones diferentes que alternan en este libro. Algo fue escrito entre Isla Negra y Valparaíso, y en otros caminos de Chile, casi siempre en automóvil, atrapando el paisaje sucesivo.
>
> También en automóvil muchos otros poemas fueron escritos en otoño e invierno por los caminos de la Normandía francesa.[29]

[29] He completed arranging the poems, finalized the titles of some items, and decided the name for the book itself during a weekend I spent with him at

Although *Geografía infructuosa* lacks homogeneity, it includes some excellent pieces. "El campanario de Authenay" (p. 170) can stand with Neruda's best poems. It is about the bell-tower of a small village church, which he and Matilde passed each time they drove to Condé-sur-Iton. The poem has a calm elegance mirroring the tranquil inner man, resolute at the still centre of his turning world. The other poem included here, "La morada siguiente" (p. 172), concerns the new home in Normandy, to which they gave the name of La Manquel — a word meaning a female condor in the Mapuche language of the indians of southern Chile. The great oak beams of the old slate-mill by the stream recalled other timber in many other places, and the poem echoes both the "Entrada a la madera" (p. 24) of his days in Spain and the "Carta para que me manden madera" (p. 122) of *Estravagario.*

*La rosa separada,* conceived when Neruda went to Easter Island, was finished at La Manquel. Although his journey to the island was as much a journey of discovery as his visit to Machu Picchu, both the circumstances and his mood were very different. The disillusionment of *Fin de mundo* had deepened, and Neruda found it impossible to divorce himself from the modern world from which he came. In "Introducción en mi tema" (p. 174) he sets out once again, like a pilgrim, "a buscar algo que allí no perdí," and the arrival is initially envisaged as a spiritual return: "salgo otra vez, a regresar. . . . / Y aquí. . . / recomienzo las vidas de mi vida." But the magic does not work.

After the "Introducción," every poem is headed either "Los hombres" (I, II, IV, IX-XI, XIII-XVI, XVIII, XIX, XXI and XXIII) or "La isla" (III, V-VIII, XII, XVII, XX, XXII and XXIV). Neruda belongs with "Los hombres," and arrives as "uno más de los que trae el aire," travelling

> . . . en gansos inmensos de aluminio,
> correctamente sentados, bebiendo copas ácidas,
> descendiendo en hileras de estómagos amables. (I)

---

Condé-sur-Iton in early April. During the long drive down, I watched him writing poetry just as he describes, oblivious to everything outside once we were clear of Paris.

The island, known as the 'navel of the world,' is often referred to by its native name of Rapa Nui. Its natural beauty overwhelms him, as had the beauty of Machu Picchu years before: on the other hand, and to his great surprise, the bleak horror of the dead volcanic crater of Ranu Raraku appals him, although he had grown up surrounded by volcanoes. Far from being able to identify with either the present-day islanders or their predecessors who carved and raised the statues, he is forced to recognize how closely he resembles other tourists. He can evoke the island and its statues vividly (see V and VI, pp. 174-175), in language which recalls his description of the ruins and their power in the "Alturas de Macchu Picchu." But the place and the statues combine to keep him at a distance (see IX, XI and XV, pp. 175-176).

Like his fellow-passengers — and the television crew with which he has come to work (though this is not mentioned in the poem) — he remains essentially and inescapably a *transeúnte.* He may try to separate himself from the others, by virtue of his quest:

> . . . si bien pertenezco a los rebaños,
> a los que entran y salen en manadas,
> al turismo igualitario, a la prole,
> confieso mi tenaz adherencia al terreno
> solicitado por la aurora de Oceanía. (XVIII)

In the last resort, however, he finds that he too must withdraw, equally baffled:

> allí, en el minúsculo ombligo de los mares,
> dejamos olvidada la última pureza,
> el espacio, el asombro de aquellas compañías
> que levantan su piedra desnuda, su verdad,
> sin que nadie se atreva a amarlas, a convivir con ellas,
> y esa es mi cobardía, aquí doy testimonio:
> no me sentí capaz sino de transitorios
> edificios, y en esta capital sin paredes
> hecha de luz, de sal, de piedra y pensamiento,
> como todos miré y abandoné asustado
> la limpia claridad de la mitología,
> las estatuas rodeadas por el silencio azul. (XIX)

At different points, he is torn between the love he feels for the beauty he admires, and the spiritual alienation which the sight of it engenders. Although more loosely knit than the "Alturas," *La rosa separada* is as keenly poetic, and quite as true to his feelings. In its ultimate pessimism, it may even explore his inner being more deeply. *La rosa separada* was the last major introspective poetic cycle which Neruda wrote, though many individual states of mind are carefully worked out in individual poems of later collections.

His next published volume was his final contribution to a very different genre: that of political diatribe and propaganda. After another cancer operation, Neruda resigned his ambassadorship and flew back to Chile, landing at Santiago airport on the 21st of November 1972. By then he was a very sick man indeed. All he wanted was to return to Isla Negra and "el mío mar," but he still had his role to play as the poetic spokesman of his party during the campaign preceding the parliamentary elections of March 1973 (in which Unidad Popular gained more seats in both the Senate and the Chamber of Deputies). His contribution to the electoral campaign was 'public poetry' of a deliberately blatant kind, a volume with a two-part title: *Incitación al nixonicidio y alabanza de la revolución chilena.*

Its pamphleteering stridency harks back to much of *España en el corazón,* and the better parts are again not the vituperative passages but those concerned with praise. It is mostly in loose-knit tercets, and uses a tub-thumping rhythm and deliberately 'obvious' rhymes so as to make it suitable for platform declamation. Its drive comes from three things: the poet's enduring concern over the war in Vietnam (which Neruda, the ardent pacifist, personally viewed as Nixon's greatest crime), his sense of outrage over American interference in Chilean affairs (which marked the immediate electoral relevance of his appeal for 'poetic' *nixonicidio*), and his deep pride in the *proceso* of Allende's social revolution.

The first poem summons Walt Whitman to help him free America from Nixon:

Es por acción de amor a mi país
que te reclamo, hermano necesario,
viejo Walt Whitman de la mano gris,

para que con tu apoyo extraordinario
verso a verso matemos de raíz
a Nixon, Presidente sanguinario. [30]

Near the end of the book, Neruda similarly turns to "Mi compañero Ercilla" (XLII). The volume concludes by taking an *octava real* from Ercilla's *Araucana* (XLIII, p. 176), which Neruda develops in a final *glosa* headed "Juntos hablamos" (XLIV, p. 177). Even at his most political, Neruda thus sets this final pamphlet in a literary context. That symbolic ending, linking lines of his own to Ercilla's, came as a good conclusion to Neruda's political verse: *Nixonicidio* is a purely utilitarian manifesto with only occasional stretches which have any poetic merit, but a long literary tradition stands behind it. In Spanish, Neruda has not only Ercilla but also Quevedo in mind: thus XV bears the title "Leyendo a Quevedo junto al mar." The aspect of Quevedo which Neruda is recalling in this context is naturally that of the disillusioned satirist who wrote political tercets as violent as his own — though far more polished, in accordance with a different fashion. It was, however, the other Quevedo, pondering on death and seeing allegories of human transience in flowers and the cycle of the seasons, who touched Neruda's heart more deeply, especially during his last half-year in France and in his last months by "el mío mar."

It was not inappropriate to Neruda's political vocation that *Nixonicidio* should be the last book he saw through the press, yet had it been the last book that he wrote, we should have lacked a final chapter which proved both unexpectedly large and unexpectedly rich. If things had gone as planned, he would have published no fewer than eight collections of poems (together with his *Memorias*) on his seventieth birthday, in July 1974.

[30] I: "Comienzo por invocar a Walt Whitman."

According to Matilde, the cancer had been brought under control, and he might still have lived for many years had it not been for the sudden pressure of events. Just under three years after the presidential election, Allende's six-year term of office was cut short by the military coup of the 11th of September 1973. Allende met his death during the assault on the Palacio de la Moneda. The combined news hit Neruda like the outbreak of the Spanish Civil War and Lorca's murder, but he was no longer the young man of 1936. In Matilde's words, "Pablo ... era un hombre recio, muy fuerte, pero esto lo aplastó." [31] Neruda's resistance finally collapsed, he was moved from Isla Negra to a clinic in Santiago, and he died there on September the 23rd.

Matilde was allowed to leave Chile for Venezuela in November 1973, taking the manuscripts of the unpublished poems and the drafts of the *Memorias* with her to the house of Neruda's friend Otero Silva:

> Las memorias estaban bastante avanzadas, pero no ordenadas. Nosotros —es decir, Miguel Otero Silva y yo— tuvimos que ponerlas por épocas. Las memorias las dictaba [Pablo] a su secretaria: pero los poemas eran todos escritos a mano por él.

With the exception of three poems privately printed for Christmas 1972, [32] seven of the eight volumes of poetry which Editorial Losada had been going to print for Neruda's next birthday were entirely new. In its definitive edition, *La rosa separada* was intended to head that series. Losada describes them as "escritos casi simultáneamente, pero que habrían de tener el siguiente orden: *La rosa separada, Jardín de invierno, 2000, El corazón amarillo, Libro de las preguntas, Elegía, El mar y las campanas, Defectos escogidos.*" [33] In her Buenos Aires interview, Matilde

---

[31] Interviewed by Osvaldo Soriano. See "Los últimos días de Pablo Neruda," in the cultural supplement of *La Opinión* (Buenos Aires) 5th May 1974. The two quotations in the next paragraph are from the same source.

[32] In *Cuatro poemas escritos en Francia* (Nascimento, Santiago, December 1972), containing "Llama el océano" (which went into *Jardín de invierno*), "Llegó Homero" (which went into *Defectos escogidos*), "El campanario de Authenay" (already published in *Geografía infructuosa*), and "La piel del abedul" (which went into *Jardín de invierno*).

[33] Quotation from the third paragraph of a statement printed on the back of each of the eight collections; in each case, a final paragraph characterizes the particular book concerned. They were not actually printed in that order:

says of these collections of poetry: "Trabajaba en estos libros por separado, pero en todos al mismo tiempo."

Although they overlapped in time, *Jardín de invierno* clearly belongs to the earliest stage of this period, having been largely composed in France, while *El mar y las campanas* is the volume on which Neruda was still working when he died. Its poems were complete, and their order within the collection established, but Neruda had given names to only seventeen out of the forty-nine poems which it includes (see note on p. 200). Losada varied their order in one respect, putting "el conmovedor 'Final' que concluyó poco antes de morir" to the very end of the book (see note on p. 199). Similarly, I have moved *El mar y las campanas* to the end of this anthology. It is both the last of these eight collections in time and the most fitting conclusion to Neruda's work.

*Jardín de invierno* and *El mar y las campanas* are the most important of the seven posthumous collections. The former starts in France, in the "morada siguiente" of La Manquel. "Con Quevedo, en primavera" (p. 178), the fifth of its twenty poems, was written in the spring of 1972, but the richness and new life of spring in Normandy merely heightens the poet's sadness. It is a death-laden poem, and with it the 'autumnal' poetry, which Neruda began with *Estravagario* in 1958, moves fully into the winter of this volume's title. "Llama el Océano" (p. 178), written in France in summer, shows Neruda's increasing longing to return to Chile and "el mío mar." Summer in France is winter in Chile, and this was the second Chilean winter which Matilde and he had not been able to spend at Isla Negra. Some things in nature such as birds, about which he had written

---

*El mar y las campanas* and the Losada edition of *La rosa separada* appeared on the 28th November 1973; *Jardín de invierno* and *2000* appeared on the 8th January 1974, followed on the 29th by *El corazón amarillo* and *Libro de las preguntas*; *Elegía* appeared on the 20th of February (it had already been published in Rome the previous December, minus the last three poems, in a bilingual edition called *Elegia dell'assenza*, Editori Riuniti); *Defectos escogidos* did not appear until the 28th of July. In the meantime, the *memorias* had appeared under the title *Confieso que he vivido* in both Barcelona (Seix Barral, 23rd March 1974) and Buenos Aires (Losada, 3rd May).

so often in the past, can still bring joy (see "Pájaro," p. 179); but with the title-poem (p. 180), the season of the world outside at last accords with the season of Neruda's inner life. The mood is again close to that of Quevedo's sonnets, and there are strong echoes of Quevedo in the phrasing.

"Regresos" (p. 181) is a key poem. He wrote it after his return to Chile, and the theme of homecoming takes on a double relevance: his return to the "luz del litoral" foreshadows

> . . . un temible viaje
> en que voy sin llegar a parte alguna.

Death too is seen as a "regreso," but one with which Neruda could only come to terms when home again in Isla Negra. Over the years many of his friends had died, but he can now regard such deaths objectively — or even with a gentle smile — in such a poem as "In memoriam Manuel y Benjamín" (p. 182). One need only put this beside "Alberto Rojas Giménez viene volando" (p. 27) to see how far the poet had to move to reach the state of tranquil acceptance so admirably summed up in the last line of "Animal de luz" (p. 183):

> y el hombre se acomoda a su destino.

The autumn to which "Otoño" (p. 184) refers was the Chilean autumn just after the March elections and *Nixonicidio.* The atmosphere in city streets was one of "guerra civil no declarada," and Neruda can recover inner peace only back by the sea. The last poem taken from *Jardín de invierno,* "Un perro ha muerto" (p. 185), shows the poet coming to terms, half whimsically at one point, with the death of a different kind of friend, his chow Chu-Tuh. Each of these nine poems speaks in tranquillity from heart to heart, but each does so in a slightly different way.

The slimmest of those seven posthumous books of poetry is *2000,* the next in Neruda's ordering of the series. It is a nine-part sequence and it looks towards the end of our century in much the mood of *Fin de mundo*. The best lines come at the end of the last section, "Celebración" (p. 187).

Not all Neruda's winter poetry was either prophetic or death-laden, however: to some extent, his grouping of the late poems was done by mood, and the subjects of the twenty-one poems in *El corazón amarillo* are handled like those of *Estravagario*, with whimsy, fun, gentle amusement, or light-hearted love. There is a quirky touch of nonsense-verse in both "Filosofía" (p. 189) — almost a reply to "Con Quevedo, en primavera" — and the affectionately jesting "Canción del amor" (p. 189), whose humour is closely akin to that of Chilean *poesía popular*. "Integraciones" (p. 190), also a love-poem to Matilde, is almost equally light-hearted on the surface, but it does have an undertone of deep yet tender seriousness.

The *Libro de las preguntas* is a series of basically disconnected questions or riddles, normally in couplets of two nine-syllable lines, to which Neruda offers no answers. A selection of forty such couplets appears on pp. 191-194 of this anthology.[34] Sometimes, a brief run is a logical progression (e.g. XXXV: i-iv, on life and death; or XLIV: i-v, on the poet in relation to the child that he once was). More often, each *pregunta* is self-sufficient. Many are nonsense-questions, others are funny, a few (the least successful, and not represented here) are satirical — sly digs at Hitler or Nixon in the form of speculations about the appropriate kind of punishment if hell existed. Others touch upon the serious matters which moved Neruda most, including the sea.

*Elegía* is jointly about Russia — especially Moscow — and the dead. Many of its thirty poems depend too much on the personal associations which some place or person had for Neruda, to be able to communicate the poet's feelings satisfactorily; but his general sense of loss is effectively

[34] There are three hundred and nine such couplets in all, together with four questions in single lines: "Conversa el humo con las nubes?" (IV: iii), "Cuántas abejas tiene el día?" (V: v), "Cuántas preguntas tiene un gato?" (VIII: iii), and "No es mejor nunca que tarde?" (XX: iii). The questions are grouped into seventy-four sections: forty-nine of these have four *preguntas* each, eighteen have five, five have only three, and two have six.

conveyed in Poem XV (p. 194). In this, he frankly admits that *muros, máquinas, panaderías,* or "el heroísmo / de los soldados y los ingenieros" (i.e. the 'constructive themes' of socialist realism) no longer move him as much as the absences of "aquellos que perdí por esas calles." The other two poems given here (pp. 194-195) see Moscow as a "ciudad lineal" between the past and future: between that which has already been accomplished and that which remains to be done to reach "el tiempo del amor completo," and with it "la cicatrización de los dolores."

The title of *Defectos escogidos,* the last posthumous collection to appear in print, had been reserved by Neruda for what was also to be the final book in that eight-volume series. It was planned as a collection of faults, both Neruda's own and those of other people: "Yo el archivista soy de los defectos," says the opening "Repertorio," "Ay sálvese quien pueda!" But it is hard to believe that the book as we have it is exactly the book he had intended. Only twelve of its nineteen poems could fit the programme — thirteen if one includes a jesting poem about a friend in France. None of these is particularly impressive, but the collection has been filled out with other pieces, and two of the latter merit inclusion here: the "Triste canción para aburrir a cualquiera" (p. 195), which uses a serial structure Neruda had never used before, and "Orégano" (p. 197), an amusing poem about the power a sonorous word could hold for him. The posthumous collection into which they would fit best is *El corazón amarillo.*

Of all those late collections, the last in time, *El mar y las campanas,* is the richest. Of the eleven short poems given here, eight are from the group which remained untitled when Neruda died. Apart from the entertaining poem about the people who always tie things up in words (p. 201), all those included are serious, and even this one makes the significant point that the web of words leaves all the things that matter unsaid. Though far shorter, this poem resembles parts of "El hombre invisible" (p. 89) of *Odas elementales,* both in sentiment and in technique.

The best poems of *El mar y las campanas* have a remarkable transparency of meaning, though the symbol of the bells themselves perhaps requires elucidation. It is important that these bells are real as well as metaphorical. In Neruda's childhood, a bell was the last thing installed in each new frontier settlement of southern Chile, and their sound rings through his early poetry, "resonante y muriendo" like the voice of love in Poema 3 (pp. 4-5) — even the vibrant reality of "Marisol" herself is metaphorically a "campana solitaria." At Isla Negra, ships' bells hang in the garden that faces the sea, and in the landward garden, where an old steam-engine stands beneath sombre trees, another bell — its bronze mouth cracked — lies on the ground amongst the creepers. In "[Esta campana rota...]" (p. 203) this fractured bell is an implicit symbol of Neruda, while "el hombre" is himself a bell in "Inicial" (p. 199), waiting — until the time for it to toll arrives — between the sounding voices of both sea and land in

> un silencio implacable
> que se repartirá cuando levante
> su lengua de metal ola tras ola.

Two poems not included here supply key-phrases for our understanding of Neruda's states of mind in this final book. In the first of these, "[Ahí está el mar...]," Neruda wants to be alone "con el mar principal y la campana" — the fractured bell "que tiene / en la boca de bronce una ruptura":

> Quiero no hablar por una larga vez,
> silencio, quiero aprender aún,
> quiero saber si existo.

The other, "[No hay mucho que contar...]," affirms that indeed he does, using phrases that echo but reverse the desolate questions-and-answers of "No hay olvido" (p. 29). In that poem of *Residencia II,* he had said:

> Si me preguntáis en dónde he estado
> debo decir "Sucede".

Debo de hablar del suelo que oscurecen las piedras,
del río que durando se destruye. . . .

Si me preguntáis de dónde vengo, tengo que
conversar con cosas rotas, . . .
con mi acongojado corazón.

Now, the affirmation is quite otherwise:

Debo decir: aquí estoy,
esto no me pasó y esto sucede:
mientras tanto las algas del océano
se mecen predispuestas

a la ola,
y cada cosa tiene su razón:
sobre cada razón un movimiento
como de ave marina que despega
de piedra o agua o alga flotadora.

Yo con mis manos debo
llamar: Venga cualquiera.

Aquí está lo que tengo, lo que debo,
oigan la cuenta, el cuento y el sonido.

What the best poems of *El mar y las campanas* have to offer is precisely that: "la cuenta, el cuento y el sonido" of life itself, and of approaching death.

Poetry, like government, is a system of checks and balances. In his *Discurso de Estocolmo,* Neruda described it as involving "por parejas medidas la soledad y la solidaridad, el sentimiento y la acción, la intimidad de uno mismo, la intimidad del hombre y la secreta revelación de la naturaleza" (see p. 213). Not every poet would single out precisely those features, but if one looks back over the poetry in this anthology, they are the elements one finds in play — although the balance between contraries or complementaries alters. At times, however, one extreme may fail to keep another in check, and what our predecessors called 'decorum' suffers. Not all the varied poems in this anthology are successful, though each is a fair sample of its kind.

Most of the moods and techniques of Neruda's poetry are represented. At first sight, his work seems to fall into a number of clearly distinguishable phases, but as one grows more familiar with it one begins to see that it is those elements which give it continuity that are the most important in the last resort. Neruda the public and explicit poet of *España en el corazón* and *Canto general* was the same man as the hermetic writer of *Residencia en la tierra;* and the same man went on to write the simple odes for simple men, the whimsies of *Estravagario,* and the more personal poetry which leads through *Plenos poderes* and the *Memorial* to *Jardín de invierno* and *El mar y las campanas.* Although techniques and attitudes might change, Neruda always kept his highly individual identity. The eyes with which he saw the world remained the same, though he might see things in this world in a changing light as time went on.

Perhaps the best summing up of what Neruda has left us comes in the concluding lines of his own *2000*:

> . . . mi osamenta
> consistió, a veces, en palabras duras
> como huesos al aire y a la lluvia,
> y pude celebrar lo que sucede
> dejando en vez de canto o testimonio
> un porfiado esqueleto de palabras.

It is by that 'esqueleto' that Neruda will endure. To hark back to a term from the *Discurso de Estocolmo* quoted on the first page of this introduction, his poems are pre-eminently *signos de reunión.* All items in this anthology record some place where "se cruzaron los caminos." They always tell us plainly where the crossroads lie: we can admire the clarity with which they do so, whether or not each one of us would choose the same road as Neruda at each juncture.

## NOTE ON THE TEXTS

With the exception of the poem from *Canción de gesta* (1960), a collection not yet included in any edition of the *Obras completas,* all poems prior to *Fin de mundo* (1969) are based on the texts given in the third edition of the *Obras completas* (Losada, Buenos Aires, 1968). This has some claims to being authoritative, many doubtful points having been referred to the poet by don Luis Alejandro, to whose painstaking work in eliminating errors which had crept into the poems over the years I am greatly indebted. Unfortunately, fresh errors often came in at other points. Consequently, wherever the reading given in this edition was in any doubt, the text has been checked against earlier editions of the individual works, and either confirmed or corrected. The sequence "Alturas de Macchu Picchu" is a special case (see note on p. xxxiv).

Poems from *Fin de mundo* or later collections have all been taken directly from the first editions. The dates of first publication given for a number of individual poems have been taken from Hernán Loyola's excellent "Guía bibliográfica" to Neruda's writings (*Obras completas,* ed. cit., II, pp. 1313-1501); but it should be noted that those *anticipaciones* — to use Loyola's term — often differ greatly from the final text.

There are a number of very long poems of considerable interest (such as "Las furias y las penas," see p. xxvi) which one would also have liked to include; but since these could not be given in full, for reasons of space, it was decided to give more shorter items, rather than attempt to exemplify the longer works by extracts taken out of context. Here again, the "Alturas de Macchu Picchu" is a special case: this twelve-part sequence, Neruda's most famous poem and very probably his best, has naturally been included, and in its entirety.

# TEXTS

## *LA CANCIÓN DE LA FIESTA*

Hoy que la tierra madura se cimbra
en un temblor polvoroso y violento,
van nuestras jóvenes almas henchidas
4 como las velas de un barco en el viento.

Por el alegre cantar de la fuente
que en cada boca de joven asoma:
por la ola rubia de luz que se mueve
8 en el frutal corazón de la poma,

tiemble y estalle la fiesta nocturna
y que la arrastren triunfantes cuadrigas
en su carroza, divina y desnuda,
12 con su amarilla corona de espigas.

La juventud con su lámpara clara
puede alumbrar los más duros destinos,
aunque en la noche crepiten sus llamas
16 su lumbre de oro fecunda el camino.

Tiemble y estalle la fiesta. La risa
crispe las bocas de rosa y de seda
y nuestra voz dulcifique la vida
20 como el olor de una astral rosaleda.

Hombres de risa vibrante y sonora,
son los que traen la fiesta en los brazos,
son los que llenan la ruta de rosas
24 para que sean más suaves sus pasos.

Y una canción que estremece la tierra
se alza cantando otra vida mejor
en que se miren el hombre y la estrella
28 como se miran el ave y la flor.

Se harán agudas las piedras al paso
de nuestros blancos y rubios efebos
que seguirán con los ojos en alto
32 volcando siembras y cánticos nuevos.

Tiemble y estalle la fiesta. Que el goce
sea un racimo de bayas eximias
que se desgrane en las bocas más nobles
36 y que fecunde otras bellas vendimias.

Published in *Claridad* (Santiago), 15th October 1921.

## *FAREWELL*

### *1*

Desde el fondo de ti, y arrodillado,
un niño triste, como yo, nos mira.

Por esa vida que arderá en sus venas
4 tendrían que amarrarse nuestras vidas.

Por esas manos, hijas de tus manos,
tendrían que matar las manos mías.

Por sus ojos abiertos en la tierra
8 veré en los tuyos lágrimas un día.

### *2*

Yo no lo quiero, Amada.

Para que nada nos amarre
que no nos una nada.

12 Ni la palabra que aromó tu boca,
ni lo que no dijeron las palabras.

Ni la fiesta de amor que no tuvimos,
ni tus sollozos junto a la ventana.

*3*

16 (Amo el amor de los marineros
que besan y se van.

Dejan una promesa.
No vuelven nunca más.

20 En cada puerto una mujer espera:
los marineros besan y se van.

Una noche se acuestan con la muerte
en el lecho del mar.)

*4*

24 Amo el amor que se reparte
en besos, lecho y pan.

Amor que puede ser eterno
y puede ser fugaz.

28 Amor que quiere libertarse
para volver a amar.

Amor divinizado que se acerca.
Amor divinizado que se va.

*5*

32 Ya no se encantarán mis ojos en tus ojos,
ya no se endulzará junto a ti mi dolor.

Pero hacia donde vaya llevaré tu mirada
y hacia donde camines llevarás mi dolor.

36 Fui tuyo, fuiste mía. Qué más? Juntos hicimos
un recodo en la ruta donde el amor pasó.

Fui tuyo, fuiste mía. Tú serás del que te ame,
del que corte en tu huerto lo que he sembrado yo.

40 Yo me voy. Estoy triste: pero siempre estoy triste.
Vengo desde tus brazos. No sé hacia dónde voy.

... Desde tu corazón me dice adiós un niño.
Y yo le digo adiós.

From *Crepusculario* (1923).

## *VEINTE POEMAS DE AMOR*
(A selection)

### *1*

Cuerpo de mujer, blancas colinas, muslos blancos,
te pareces al mundo en tu actitud de entrega.
Mi cuerpo de labriego salvaje te socava
4 y hace saltar el hijo del fondo de la tierra.

Fui solo como un túnel. De mí huían los pájaros
y en mí la noche entraba su invasión poderosa.
Para sobrevivirme te forjé como un arma,
8 como una flecha en mi arco, como una piedra en mi
honda.

Pero cae la hora de la venganza, y te amo.
Cuerpo de piel, de musgo, de leche ávida y firme.
Ah los vasos del pecho! Ah los ojos de ausencia!
12 Ah las rosas del pubis! Ah tu voz lenta y triste!

Cuerpo de mujer mía, persistiré en tu gracia.
Mi sed, mi ansia sin límite, mi camino indeciso!
Oscuros cauces donde la sed eterna sigue,
16 y la fatiga sigue, y el dolor infinito.

### *3*

Ah vastedad de pinos, rumor de olas quebrándose,
lento juego de luces, campana solitaria,
crepúsculo cayendo en tus ojos, muñeca,
4 caracola terrestre, en ti la tierra canta!

En ti los ríos cantan y mi alma en ellos huye
como tú lo desees y hacia donde tú quieras.
Márcame mi camino en tu arco de esperanza
8 y soltaré en delirio mi bandada de flechas.

En torno a mí estoy viendo tu cintura de niebla
y tu silencio acosa mis horas perseguidas,
y eres tú con tus brazos de piedra transparente
12 donde mis besos anclan y mi húmeda ansia anida.

Ah tu voz misteriosa que el amor tiñe y dobla
en el atardecer resonante y muriendo!
Así en horas profundas sobre los campos he visto
16 doblarse las espigas en la boca del viento.

*9*

Ebrio de trementina y largos besos,
estival, el velero de las rosas dirijo,
torcido hacia la muerte del delgado día,
4 cimentado en el sólido frenesí marino.

Pálido y amarrado a mi agua devorante
cruzo en el agrio olor del clima descubierto,
aún vestido de gris y sonidos amargos,
8 y una cimera triste de abandonada espuma.

Voy, duro de pasiones, montado en mi ola única,
lunar, solar, ardiente y frío, repentino,
dormido en la garganta de las afortunadas
12 islas blancas y dulces como caderas frescas.

Tiembla en la noche húmeda mi vestido de besos
locamente cargado de eléctricas gestiones,
de modo heroico dividido en sueños
16 y embriagadoras rosas practicándose en mí.

Aguas arriba, en medio de las olas externas,
tu paralelo cuerpo se sujeta en mis brazos
como un pez infinitamente pegado a mi alma
20 rápido y lento en la energía subceleste.

[In the 1932 edition, this poem replaces the original No. 9.]

*13*

He ido marcando con cruces de fuego
el atlas blanco de tu cuerpo.
Mi boca era una araña que cruzaba escondiéndose.
4 En ti, detrás de ti, temerosa, sedienta.

Historias que contarte a la orilla del crepúsculo,
muñeca triste y dulce, para que no estuvieras triste.
Un cisne, un árbol, algo lejano y alegre.
8 El tiempo de las uvas, el tiempo maduro y frutal.

Yo que viví en un puerto desde donde te amaba.
La soledad cruzada de sueño y de silencio.
Acorralado entre el mar y la tristeza.
12 Callado, delirante, entre dos gondoleros inmóviles.

Entre los labios y la voz, algo se va muriendo.
Algo con alas de pájaro, algo de angustia y de olvido.
Así como las redes no retienen el agua.
16 Muñeca mía, apenas quedan gotas temblando.
Sin embargo, algo canta entre estas palabras fugaces.
Algo canta, algo sube hasta mi ávida boca.
Oh poder celebrarte con todas las palabras de alegría.
20 Cantar, arder, huir, como un campanario en las
manos de un loco.
Triste ternura mía, qué te haces de repente?
Cuando he llegado al vértice más atrevido y frío
mi corazón se cierra como una flor nocturna.

*19*

Niña morena y ágil, el sol que hace las frutas,
el que cuaja los trigos, el que tuerce las algas,
hizo tu cuerpo alegre, tus luminosos ojos
4 y tu boca que tiene la sonrisa del agua.

Un sol negro y ansioso se te arrolla en las hebras
de la negra melena, cuando estiras los brazos.
Tú juegas con el sol como con un estero
8 y él te deja en los ojos dos oscuros remansos.

Niña morena y ágil, nada hacia ti me acerca.
Todo de ti me aleja, como del mediodía.

Eres la delirante juventud de la abeja,
12 la embriaguez de la ola, la fuerza de la espiga.

Mi corazón sombrío te busca, sin embargo,
y amo tu cuerpo alegre, tu voz suelta y delgada.
Mariposa morena dulce y definitiva
16 como el trigal y el sol, la amapola y el agua.

*20*

Puedo escribir los versos más tristes esta noche.

Escribir, por ejemplo: "La noche está estrellada,
y tiritan, azules, los astros, a lo lejos".

4 El viento de la noche gira en el cielo y canta.

Puedo escribir los versos más tristes esta noche.
Yo la quise, y a veces ella también me quiso.

En las noches como ésta la tuve entre mis brazos.
8 La besé tantas veces bajo el cielo infinito.

Ella me quiso, a veces yo también la quería.
Cómo no haber amado sus grandes ojos fijos.

Puedo escribir los versos más tristes esta noche.
12 Pensar que no la tengo. Sentir que la he perdido.

Oír la noche inmensa, más inmensa sin ella.
Y el verso cae al alma como al pasto el rocío.

Qué importa que mi amor no pudiera guardarla.
16 La noche está estrellada y ella no está conmigo.

Eso es todo. A lo lejos alguien canta. A lo lejos.
Mi alma no se contenta con haberla perdido.

Como para acercarla mi mirada la busca.
20 Mi corazón la busca, y ella no está conmigo.

La misma noche que hace blanquear los mismos
árboles.
Nosotros, los de entonces, ya no somos los mismos.

Ya no la quiero, es cierto, pero cuánto la quise.
24 Mi voz buscaba el viento para tocar su oído.

De otro. Será de otro. Como antes de mis besos.
Su voz, su cuerpo claro. Sus ojos infinitos.

Ya no la quiero, es cierto, pero tal vez la quiero.
28 Es tan corto el amor, y es tan largo el olvido.

Porque en noches como ésta la tuve entre mis
brazos,
mi alma no se contenta con haberla perdido.

Aunque éste sea el último dolor que ella me causa,
32 y éstos sean los últimos versos que yo le escribo.

From *Veinte poemas de amor y una canción desesperada* (1924).

## *GALOPE MUERTO*

Como cenizas, como mares poblándose,
en la sumergida lentitud, en lo informe,
o como se oyen desde el alto de los caminos
4 cruzar las campanadas en cruz,
teniendo ese sonido ya aparte del metal,
confuso, pensando, haciéndose polvo
en el mismo molino de las formas demasiado lejos,
8 o recordadas o no vistas,
y el perfume de las ciruelas que rodando a tierra
se pudren en el tiempo, infinitamente verdes.

Aquello todo tan rápido, tan viviente,
12 inmóvil sin embargo, como la polea loca en sí misma,
esas ruedas de los motores, en fin.
Existiendo como las puntadas secas en las costuras
del árbol,
callado, por alrededor, de tal modo,
16 mezclando todos los limbos sus colas.
Es que de dónde, por dónde, en qué orilla?
El rodeo constante, incierto, tan mudo,
como las lilas alrededor del convento,

20 o la llegada de la muerte a la lengua del buey
que cae a tumbos, guardabajo, y cuyos cuernos
quieren sonar.

Por eso, en lo inmóvil, deteniéndose, percibir,
entonces, como aleteo inmenso, encima,
24 como abejas muertas o números,
ay, lo que mi corazón pálido no puede abarcar,
en multitudes, en lágrimas saliendo apenas,
y esfuerzos humanos, tormentas,
28 acciones negras descubiertas de repente
como hielos, desorden vasto,
oceánico, para mí que entro cantando,
como con una espada entre indefensos.

32 Ahora bien, de qué está hecho ese surgir de palomas
que hay entre la noche y el tiempo, como una
barranca húmeda?
Ese sonido ya tan largo
que cae listando de piedras los caminos,
36 más bien, cuando sólo una hora
crece de improviso, extendiéndose sin tregua.

Adentro del anillo del verano
una vez los grandes zapallos escuchan,
40 estirando sus plantas conmovedoras,
de eso, de lo que solicitándose mucho,
de lo lleno, oscuros de pesadas gotas.

From *Residencia en la tierra 1925-1931* (1933);
first published in *Claridad* (Santiago),
August 1926 (?).

## *UNIDAD*

*Hay algo denso, unido, sentado en el fondo,*
*repitiendo su número, su señal idéntica.*
*Cómo se nota que las piedras han tocado el tiempo,*
4 *en su fina materia hay olor a edad,*
*y el agua que trae el mar, de sal y sueño.*

*Me rodea una misma cosa, un solo movimiento:*
*el peso del mineral, la luz de la miel,*
8 *se pegan al sonido de la palabra noche:*

*la tinta del trigo, del marfil, del llanto,*
*envejecidas, desteñidas, uniformes,*
*se unen en torno a mí como paredes.*

12 *Trabajo sordamente, girando sobre mí mismo,*
*como el cuervo sobre la muerte, el cuervo de luto.*
*Pienso, aislado en lo extremo de las estaciones,*
*central, rodeado de geografía silenciosa:*
16 *una temperatura parcial cae del cielo,*
*un extremo imperio de confusas unidades*
*se reúne rodeándome.*

From *Residencia en la tierra 1925-1931* (1933).

## *ARTE POÉTICA*

*Entre sombra y espacio, entre guarniciones y*
*doncellas,*
*dotado de corazón singular y sueños funestos,*
*precipitadamente pálido, marchito en la frente*
4 *y con luto de viudo furioso por cada día de vida,*
*ay, para cada agua invisible que bebo soñolienta-*
*mente*
*y de todo sonido que acojo temblando,*
*tengo la misma sed ausente y la misma fiebre fría*
8 *un oído que nace, una angustia indirecta,*
*como si llegaran ladrones o fantasmas,*
*y en una cáscara de extensión fija y profunda,*
*como un camarero humillado, como una campana*
*un poco ronca,*
12 *como un espejo viejo, como un olor de casa sola*
*en la que los huéspedes entran de noche perdida-*
*mente ebrios,*
*y hay un olor de ropa tirada al suelo, y una ausencia*
*de flores*
*—posiblemente de otro modo aún menos melancó-*
*lico—,*
16 *pero, la verdad, de pronto, el viento que azota mi*
*pecho,*
*las noches de substancia infinita caídas en mi dor-*
*mitorio,*
*el ruido de un día que arde con sacrificio*
*me piden lo profético que hay en mí, con melancolía*

20 *y un golpe de objetos que llaman sin ser respondidos hay, y un movimiento sin tregua, y un nombre confuso.*

From *Residencia en la tierra 1925-1931* (1933).

## *ESTABLECIMIENTOS NOCTURNOS*

Difícilmente llamo a la realidad, como el perro, y también aúllo. Cómo amaría establecer el diálogo del hidalgo y el barquero, pintar la jirafa, describir los acordeones, celebrar mi musa desnuda y enroscada a mi cintura de asalto y resistencia. Así es mi cintura, mi cuerpo en general, una lucha despierta y larga, y mis riñones escuchan.

Oh Dios, cuántas ranas habituadas a la noche, silbando y roncando con gargantas de seres humanos a los cuarenta años, y qué angosta y sideral es la curva que hasta lo más lejos me rodea! Llorarían en mi caso los cantores italianos, los doctores de astronomía ceñidos por esta alba negra, definidos hasta el corazón por esta aguda espada.

Y luego esa condensación, esa unidad de elementos de la noche, esa suposición, puesta detrás de cada cosa, y ese frío tan claramente sostenido por estrellas.

Execración para tanto muerto que no mira, para tanto herido de alcohol o infelicidad, y loor al nochero, al inteligente que soy yo, sobreviviente adorador de los cielos.

From *Residencia en la tierra 1925-1931* (1933).

## *RITUAL DE MIS PIERNAS*

Largamente he permanecido mirando mis largas piernas,
con ternura infinita y curiosa, con mi acostumbrada pasión,
como si hubieran sido las piernas de una mujer divina
4 profundamente sumida en el abismo de mi tórax:
y es que, la verdad, cuando el tiempo, el tiempo pasa,

sobre la tierra, sobre el techo, sobre mi impura
cabeza,
y pasa, el tiempo pasa, y en mi lecho no siento
de noche que una mujer está respirando, durmiendo desnuda y a mi lado,
8 entonces, extrañas, oscuras cosas toman el lugar
de la ausente,
viciosos, melancólicos pensamientos
siembran pesadas posibilidades en mi dormitorio,
y así, pues, miro mis piernas como si pertenecieran a otro cuerpo,
12 y fuerte y dulcemente estuvieran pegadas a mis
entrañas.

Como tallos o femeninas, adorables cosas,
desde las rodillas suben, cilíndricas y espesas,
con turbado y compacto material de existencia:
16 como brutales, gruesos brazos de diosa,
como árboles monstruosamente vestidos de seres humanos,
como fatales, inmensos labios sedientos y tranquilos,
son allí la mejor parte de mi cuerpo:
20 lo enteramente substancial, sin complicado contenido
de sentidos o tráqueas o intestinos o ganglios:
nada, sino lo puro, lo dulce y espeso de mi propia
vida,
nada, sino la forma y el volumen existiendo,
24 guardando la vida, sin embargo, de una manera
completa.

Las gentes cruzan el mundo en la actualidad
sin apenas recordar que poseen un cuerpo y en él
la vida,
y hay miedo, hay miedo en el mundo de las palabras
que designan el cuerpo,
28 y se habla favorablemente de la ropa,
de pantalones es posible hablar, de trajes,
y de ropa interior de mujer (de medias y ligas de
"señora"),
como si por las calles fueran las prendas y los trajes
vacíos por completo
32 y un oscuro y obsceno guardarropas ocupara el
mundo.

Tienen existencia los trajes, color, forma, designio,
y profundo lugar en nuestros mitos, demasiado lugar,
demasiados muebles y demasiadas habitaciones hay en el mundo
36 y mi cuerpo vive entre y bajo tantas cosas abatido,
con un pensamiento fijo de esclavitud y de cadenas.

Bueno, mis rodillas, como nudos,
particulares, funcionarios, evidentes,
40 separan las mitades de mis piernas en forma seca:
y en realidad dos mundos diferentes, dos sexos diferentes
no son tan diferentes como las dos mitades de mis piernas.

Desde la rodilla hasta el pie una forma dura,
44 mineral, fríamente útil, aparece,
una criatura de hueso y persistencia,
y los tobillos no son ya sino el propósito desnudo,
la exactitud y lo necesario dispuestos en definitiva.

48 Sin sensualidad, cortas y duras, y masculinas,
son allí mis piernas, y dotadas
de grupos musculares como animales complementarios,
y allí también una vida, una sólida, sutil, aguda vida
52 sin temblar permanece, aguardando y actuando.

En mis pies cosquillosos,
y duros como el sol, y abiertos como flores,
y perpetuos, magníficos soldados
56 en la guerra gris del espacio,
todo termina, la vida termina definitivamente en mis pies,
lo extranjero y lo hostil allí comienza:
los nombres del mundo, lo fronterizo y lo remoto,
60 lo sustantivo y lo adjetivo que no caben en mi corazón
con densa y fría constancia allí se originan.

Siempre,
productos manufacturados, medias, zapatos,
64 o simplemente aire infinito,

habrá entre mis pies y la tierra
extremando lo aislado y lo solitario de mi ser,
algo tenazmente supuesto entre mi vida y la tierra,
68 algo abiertamente invencible y enemigo.

From *Residencia en la tierra 1925-1931* (1933);
first published in *Índice* (Santiago), No. 9,
December 1930.

## *EL FANTASMA DEL BUQUE DE CARGA*

Distancia refugiada sobre tubos de espuma,
sal en rituales olas y órdenes definidos,
y un olor y rumor de buque viejo,
4 de podridas maderas y hierros averiados,
y fatigadas máquinas que aúllan y lloran
empujando la proa, pateando los costados,
mascando lamentos, tragando y tragando distancias,
8 haciendo un ruido de agrias aguas sobre las agrias
aguas,
moviendo el viejo buque sobre las viejas aguas.

Bodegas interiores, túneles crepusculares
que el día intermitente de los puertos visita:
12 sacos, sacos que un dios sombrío ha acumulado
como animales grises, redondos y sin ojos,
con dulces orejas grises,
y vientres estimables llenos de trigo o copra,
16 sensitivas barrigas de mujeres encinta,
pobremente vestidas de gris, pacientemente
esperando en la sombra de un doloroso cine.

Las aguas exteriores de repente
20 se oyen pasar, corriendo como un caballo opaco,
con un ruido de pies de caballo en el agua,
rápidas, sumergiéndose otra vez en las aguas.
Nada más hay entonces que el tiempo en las cabinas:
24 el tiempo en el desventurado comedor solitario,
inmóvil y visible como una gran desgracia.
Olor de cuero y tela densamente gastados,
y cebollas, y aceite, aún más,
28 olor de alguien flotando en los rincones del buque,
olor de alguien sin nombre
que baja como una ola de aire las escalas,

y cruza corredores con su cuerpo ausente,
32 y observa con sus ojos que la muerte preserva.

Observa con sus ojos sin color, sin mirada,
lento, y pasa temblando, sin presencia ni sombra:
los sonidos lo arrugan, las cosas lo traspasan,
36 su transparencia hace brillar las sillas sucias.
Quién es ese fantasma sin cuerpo de fantasma,
con sus pasos livianos como harina nocturna
y su voz que sólo las cosas patrocinan?
40 Los muebles viajan llenos de su ser silencioso
como pequeños barcos dentro del viejo barco,
cargados de su ser desvanecido y vago:
los roperos, las verdes carpetas de las mesas,
44 el color de las cortinas y del suelo,
todo ha sufrido el lento vacío de sus manos,
y su respiración ha gastado las cosas.

Se desliza y resbala, desciende, transparente,
48 aire en el aire frío que corre sobre el buque,
con sus manos ocultas se apoya en las barandas
y mira el mar amargo que huye detrás del buque.
Solamente las aguas rechazan su influencia,
52 su color y su olor de olvidado fantasma,
y frescas y profundas desarrollan su baile
como vidas de fuego, como sangre o perfume,
nuevas y fuertes surgen, unidas y reunidas.

56 Sin gastarse las aguas, sin costumbre ni tiempo,
verdes de cantidad, eficaces y frías,
tocan el negro estómago del buque y su materia
lavan, sus costras rotas, sus arrugas de hierro:
60 roen las aguas vivas la cáscara del buque,
traficando sus largas banderas de espuma
y sus dientes de sal volando en gotas.

Mira el mar el fantasma con su rostro sin ojos:
64 el círculo del día, la tos del buque, un pájaro
en la ecuación redonda y sola del espacio,
y desciende de nuevo a la vida del buque
cayendo sobre el tiempo muerto y la madera,
68 resbalando en las negras cocinas y cabinas,
lento de aire y atmósfera y desolado espacio.

From *Residencia en la tierra 1925-1931* (1933);
first published in *Atenea* (Concepción),
August 1932.

## *TANGO DEL VIUDO*

*Oh Maligna, ya habrás hallado la carta, ya habrás llorado de furia,*
*y habrás insultado el recuerdo de mi madre*
*llamándola perra podrida y madre de perros,*
4 *ya habrás bebido sola, solitaria, el té del atardecer*
*mirando mis viejos zapatos vacíos para siempre*
*y ya no podrás recordar mis enfermedades, mis sueños nocturnos, mis comidas,*
*sin maldecirme en voz alta como si estuviera allí aún*
8 *quejándome del trópico de los* coolíes corringhis,
*de las venenosas fiebres que me hicieron tanto daño*
*y de los espantosos ingleses que odio todavía.*

*Maligna, la verdad, qué noche tan grande, qué tierra tan sola!*
12 *He llegado otra vez a los dormitorios solitarios,*
*a almorzar en los restaurantes comida fría, y otra vez*
*tiro al suelo los pantalones y las camisas,*
*no hay perchas en mi habitación, ni retratos de nadie en las paredes.*
16 *Cuánta sombra de la que hay en mi alma daría por recobrarte,*
*y qué amenazadores me parecen los nombres de los meses,*
*y la palabra invierno qué sonido de tambor lúgubre tiene.*

*Enterrado junto al cocotero hallarás más tarde*
20 *el cuchillo que escondí allí por temor de que me mataras,*
*y ahora repentinamente quisiera oler su acero de cocina*
*acostumbrado al peso de tu mano y al brillo de tu pie:*
*bajo la humedad de la tierra, entre las sordas raíces,*
24 *de los lenguajes humanos el pobre sólo sabría tu nombre,*
*y la espesa tierra no comprende tu nombre*
*hecho de impenetrables substancias divinas.*

*Así como me aflige pensar en el claro día de tus piernas*
28 *recostadas como detenidas y duras aguas solares,*
*y la golondrina que durmiendo y volando vive en tus ojos,*
*y el perro de furia que asilas en el corazón,*
*así también veo las muertes que están entre nosotros desde ahora,*
32 *y respiro en el aire la ceniza y lo destruido,*
*el largo, solitario espacio que me rodea para siempre.*

*Daría este viento del mar gigante por tu brusca respiración*
*oída en largas noches sin mezcla de olvido,*
36 *uniéndose a la atmósfera como el látigo a la piel del caballo.*
*Y por oírte orinar, en la oscuridad, en el fondo de la casa,*
*como vertiendo una miel delgada, trémula, argentina, obstinada,*
*cuántas veces entregaría este coro de sombras que poseo,*
40 *y el ruido de espadas inútiles que se oye en mi alma,*
*y la paloma de sangre que está solitaria en mi frente*
*llamando cosas desaparecidas, seres desaparecidos,*
*substancias extrañamente inseparables y perdidas.*

From *Residencia en la tierra 1925-1931* (1933); first published in *Atenea* (Concepción), No. 58, October 1929.

## *SIGNIFICA SOMBRAS*

Qué esperanza considerar, qué presagio puro,
qué definitivo beso enterrar en el corazón,
someter en los orígenes del desamparo y la inteligencia,
4 suave y seguro sobre las aguas eternamente turbadas?

Qué vitales, rápidas alas de un nuevo ángel de sueños
instalar en mis hombros dormidos para seguridad perpetua.

de tal manera que el camino entre las estrellas de la muerte
8 sea un violento vuelo comenzado desde hace muchos días y meses y siglos?

Tal vez la debilidad natural de los seres recelosos y ansiosos
busca de súbito permanencia en el tiempo y límites en la tierra,
tal vez las fatigas y las edades acumuladas implacablemente
12 se extiendan como la ola lunar de un océano recién creado
sobre litorales y tierras angustiosamente desiertas.

Ay, que lo que yo soy siga existiendo y cesando de existir,
y que mi obediencia se ordene con tales condiciones de hierro
16 que el temblor de las muertes y de los nacimientos no conmueva
el profundo sitio que quiero reservar para mí eternamente.

Sea, pues, lo que soy, en alguna parte y en todo tiempo,
establecido y asegurado y ardiente testigo,
20 cuidadosamente destruyéndose y preservándose incesantemente,
evidentemente empeñado en su deber original.

From *Residencia en la tierra 1925-1931* (1933); first published in *Letras* (Santiago), No. 22, July 1930.

## *UN DÍA SOBRESALE*

De lo sonoro salen números,
números moribundos y cifras con estiércol,
rayos humedecidos y relámpagos sucios.
4 De lo sonoro, creciendo, cuando
la noche sale sola, como reciente viuda,
como paloma o amapola o beso,
y sus maravillosas estrellas se dilatan.

8 En lo sonoro la luz se verifica:
las vocales se inundan, el llanto cae en pétalos,
un viento de sonido como una ola retumba,
brilla y peces de frío y elástico la habitan.

12 Peces en el sonido, lentos, agudos, húmedos,
arqueadas masas de oro con gotas en la cola,
tiburones de escama y espuma temblorosa,
salmones azulados de congelados ojos.

16 Herramientas que caen, carreras de legumbres,
rumores de racimos aplastados,
violines llenos de agua, detonaciones frescas,
motores sumergidos y polvorienta sombra,
20 fábricas, besos,
botellas palpitantes,
gargantas,
en torno a mí la noche suena,
24 el día, el mes, el tiempo,
sonando como sacos de campanas mojadas
o pavorosas bocas de sales quebradizas.

Olas del mar, derrumbes,
28 uñas, pasos del mar,
arrolladas corrientes de animales deshechos,
pitazos en la niebla ronca
deciden los sonidos de la dulce aurora
32 despertando en el mar abandonado.

A lo sonoro el alma rueda
cayendo desde sueños,
rodeada aún por sus palomas negras,
36 todavía forrada por sus trapos de ausencia.

A lo sonoro el alma acude
y sus bodas veloces celebra y precipita.

Cáscaras del silencio, de azul turbio,
40 como frascos de oscuras farmacias clausuradas,
silencio envuelto en pelo,
silencio galopando en caballos sin patas
y máquinas dormidas, y velas sin atmósfera,
44 y trenes de jazmín desalentado y cera,
y agobiados buques llenos de sombras y sombreros.

Desde el silencio sube el alma
con rosas instantáneas,
48 y en la mañana del día se desploma,
y se ahoga de bruces en la luz que suena.

Zapatos bruscos, bestias, utensilios,
olas de gallos duros derramándose,
52 relojes trabajando como estómagos secos,
ruedas desenrollándose en rieles abatidos,
y water-closets blancos despertando
con ojos de madera, como palomas tuertas,
56 y sus gargantas anegadas
suenan de pronto como cataratas.

Ved cómo se levantan los párpados del moho
y se desencadena la cerradura roja
60 y la guirnalda desarrolla sus asuntos,
cosas que crecen,
los puentes aplastados por los grandes tranvías
rechinan como camas con amores,
64 la noche ha abierto sus puertas de piano:
como un caballo el día corre en sus tribunales.

*De lo sonoro sale el día*
*de aumento y grado,*
68 *y también de violetas cortadas y cortinas,*
*de extensiones, de sombra recién huyendo*
*y gotas que del corazón del cielo*
*caen como sangre celeste.*

From *Residencia en la tierra 1931-1935* (1935).

## *WALKING AROUND*

Sucede que me canso de ser hombre.
Sucede que entro en las sastrerías y en los cines
marchito, impenetrable, como un cisne de fieltro
4 navegando en un agua de origen y ceniza.

El olor de las peluquerías me hace llorar a gritos.
Sólo quiero un descanso de piedras o de lana,
sólo quiero no ver establecimientos ni jardines,
8 ni mercaderías, ni anteojos, ni ascensores.

Sucede que me canso de mis pies y mis uñas
y mi pelo y mi sombra.
Sucede que me canso de ser hombre.

12 Sin embargo sería delicioso
asustar a un notario con un lirio cortado
o dar muerte a una monja con un golpe de oreja.
Sería bello
16 ir por las calles con un cuchillo verde
y dando gritos hasta morir de frío.

No quiero seguir siendo raíz en las tinieblas,
vacilante, extendido, tiritando de sueño,
20 hacia abajo, en las tapias mojadas de la tierra,
absorbiendo y pensando, comiendo cada día.

No quiero para mí tantas desgracias.
No quiero continuar de raíz y de tumba,
24 de subterráneo solo, de bodega con muertos
ateridos, muriéndome de pena.

Por eso el día lunes arde como el petróleo
cuando me ve llegar con mi cara de cárcel,
28 y aúlla en su transcurso como una rueda herida,
y da pasos de sangre caliente hacia la noche.

Y me empuja a ciertos rincones, a ciertas casas
húmedas,
a hospitales donde los huesos salen por la ventana,
32 a ciertas zapaterías con olor a vinagre,
a calles espantosas como grietas.

Hay pájaros de color de azufre y horribles intestinos
colgando de las puertas de las casas que odio,
36 hay dentaduras olvidadas en una cafetera,
hay espejos
que debieran haber llorado de vergüenza y espanto,
hay paraguas en todas partes, y venenos, y ombligos.

40 Yo paseo con calma, con ojos, con zapatos,
con furia, con olvido,
paso, cruzo oficinas y tiendas de ortopedia,
y patios donde hay ropas colgadas de un alambre:

44 calzoncillos, toallas y camisas que lloran
lentas lágrimas sucias.

From *Residencia en la tierra 1931-1935* (1935).

## *ENFERMEDADES EN MI CASA*

Cuando el deseo de alegría con sus dientes de rosa
escarba los azufres caídos durante muchos meses
y su red natural, sus cabellos sonando
4 a mis habitaciones extinguidas con ronco paso llegan,
allí la rosa de alambre maldito
golpea con arañas las paredes
y el vidrio roto hostiliza la sangre,
8 y las uñas del cielo se acumulan,
de tal modo que no se puede salir, que no se puede
dirigir
un asunto estimable,
es tanta la niebla, la vaga niebla cagada por los
pájaros,
12 es tanto el humo convertido en vinagre
y el agrio aire que horada las escalas:
en ese instante en que el día se cae con las plumas
deshechas,
no hay sino llanto, nada más que llanto,
16 porque sólo sufrir, solamente sufrir,
y nada más que llanto.

El mar se ha puesto a golpear por años una pata de
pájaro,
y la sal golpea y la espuma devora,
20 las raíces de un árbol sujetan una mano de niña,
las raíces de un árbol más grande que una mano
de niña,
más grande que una mano del cielo,
y todo el año trabajan, cada día de luna
24 sube sangre de niña hacia las hojas manchadas por
la luna,
y hay un planeta de terribles dientes
envenenando el agua en que caen los niños,
cuando es de noche, y no hay sino la muerte,
28 solamente la muerte, y nada más que el llanto.

Como un grano de trigo en el silencio, pero
a quién pedir piedad por un grano de trigo?
Ved cómo están las cosas: tantos trenes,
32 tantos hospitales con rodillas quebradas,
tantas tiendas con gentes moribundas:
entonces, cómo?, cuándo?,
a quién pedir por unos ojos del color de un mes frío,
36 y por un corazón del tamaño del trigo que vacila?
No hay sino ruedas y consideraciones,
alimentos progresivamente distribuidos,
líneas de estrellas, copas
40 en donde nada cae, sino sólo la noche,
nada más que la muerte.

Hay que sostener los pasos rotos.
Cruzar entre tejados y tristezas mientras arde
44 una cosa quemada con llamas de humedad,
una cosa entre trapos tristes como la lluvia,
algo que arde y solloza,
un síntoma, un silencio.
48 Entre abandonadas conversaciones y objetos respirados,
entre las flores vacías que el destino corona y abandona,
hay un río que cae en una herida,
hay el océano golpeando una sombra de flecha quebrantada,
52 hay todo el cielo agujereando un beso.

Ayudadme, hojas que mi corazón ha adorado en silencio,
ásperas travesías, inviernos del sur, cabelleras
de mujeres mojadas en mi sudor terrestre,
56 luna del sur del cielo deshojado,
venid a mí con un día sin dolor,
con un minuto en que pueda reconocer mis venas.
Estoy cansado de una gota,
60 estoy herido en solamente un pétalo,
y por un agujero de alfiler sube un río de sangre sin consuelo,
y me ahogo en las aguas del rocío que se pudre en la sombra,
y por una sonrisa que no crece, por una boca dulce,
64 por unos dedos que el rosal quisiera

escribo este poema que sólo es un lamento,
solamente un lamento.

From *Residencia en la tierra 1931-1935* (1935).

## *ENTRADA A LA MADERA*

Con mi razón apenas, con mis dedos,
con lentas aguas lentas inundadas,
caigo al imperio de los nomeolvides,
4 a una tenaz atmósfera de luto,
a una olvidada sala decaída,
a un racimo de tréboles amargos.

Caigo en la sombra, en medio
8 de destruidas cosas,
y miro arañas, y apaciento bosques
de secretas maderas inconclusas,
y ando entre húmedas fibras arrancadas
12 al vivo ser de substancia y silencio.

Dulce materia, oh rosa de alas secas,
en mi hundimiento tus pétalos subo
con pies pesados de roja fatiga,
16 y en tu catedral dura me arrodillo
golpeándome los labios con un ángel.

Es que soy yo ante tu color de mundo,
ante tus pálidas espadas muertas,
20 ante tus corazones reunidos,
ante tu silenciosa multitud.

Soy yo ante tu ola de olores muriendo,
envueltos en otoño y resistencia:
24 soy yo emprendiendo un viaje funerario
entre sus cicatrices amarillas:
soy yo con mis lamentos sin origen,
sin alimentos, desvelado, solo,
28 entrando oscurecidos corredores,
llegando a tu materia misteriosa.

Veo moverse tus corrientes secas,
veo crecer manos interrumpidas,

32 oigo tus vegetales oceánicos
crujir de noche y furia sacudidos,
y siento morir hojas hacia adentro,
incorporando materiales verdes
36 a tu inmovilidad desamparada.

Poros, vetas, círculos de dulzura,
peso, temperatura silenciosa,
flechas pegadas a tu alma caída,
40 seres dormidos en tu boca espesa,
polvo de dulce pulpa consumida,
ceniza llena de apagadas almas,
venid a mí, a mi sueño sin medida,
44 caed en mi alcoba en que la noche cae
y cae sin cesar como agua rota,
y a vuestra vida, a vuestra muerte asidme,
a vuestros materiales sometidos,
48 a vuestras muertas palomas neutrales,
y hagamos fuego, y silencio, y sonido,
y ardamos, y callemos, y campanas.

From *Residencia en la tierra 1931-1935* (1935);
first published in *Tres cantos materiales*
(Homenaje a Pablo Neruda de los poetas
españoles), Madrid, April 1935.

## *APOGEO DEL APIO*

Del centro puro que los ruidos nunca
atravesaron, de la intacta cera,
salen claros relámpagos lineales,
4 palomas con destino de volutas,
hacia tardías calles con olor
a sombra y a pescado.

Son las venas del apio! Son la espuma, la risa,
8 los sombreros del apio!
Son los signos del apio, su sabor
de luciérnaga, sus mapas
de color inundado,
12 y cae su cabeza de ángel verde,
y sus delgados rizos se acongojan,
y entran los pies del apio en los mercados
de la mañana herida, entre sollozos,

16 y se cierran las puertas a su paso,
y los dulces caballos se arrodillan.

Sus pies cortados van, sus ojos verdes
van derramados, para siempre hundidos
20 en ellos los secretos y las gotas:
los túneles del mar de donde emergen,
las escaleras que el apio aconseja,
las desdichadas sombras sumergidas,
24 las determinaciones en el centro del aire,
los besos en el fondo de las piedras.

A medianoche, con manos mojadas,
alguien golpea mi puerta en la niebla,
28 y oigo la voz del apio, voz profunda,
áspera voz de viento encarcelado,
se queja herido de aguas y raíces,
hunde en mi cama sus amargos rayos,
32 y sus desordenadas tijeras me pegan en el pecho
buscándome la boca del corazón ahogado.

Qué quieres, huésped de corsé quebradizo,
en mis habitaciones funerales?
36 Qué ámbito destrozado te rodea?

Fibras de oscuridad y luz llorando,
ribetes ciegos, energías crespas,
río de vida y hebras esenciales,
40 verdes ramas de sol acariciado,
aquí estoy, en la noche, escuchando secretos,
desvelos, soledades,
y entráis, en medio de la niebla hundida,
44 hasta crecer en mí, hasta comunicarme
la luz oscura y la rosa de la tierra.

From *Residencia en la tierra 1931-1935* (1935);
first published in *Tres cantos materiales*
(Homenaje a Pablo Neruda de los poetas
españoles), Madrid, April 1935.

## *ALBERTO ROJAS GIMÉNEZ VIENE VOLANDO*

Entre plumas que asustan, entre noches,
entre magnolias, entre telegramas,
entre el viento del Sur y el Oeste marino,
4 vienes volando.

Bajo las tumbas, bajo las cenizas,
bajo los caracoles congelados,
bajo las últimas aguas terrestres,
8 vienes volando.

Más abajo, entre niñas sumergidas,
y plantas ciegas, y pescados rotos,
más abajo, entre nubes otra vez,
12 vienes volando.

Más allá de la sangre y de los huesos,
más allá del pan, más allá del vino,
más allá del fuego,
16 vienes volando.

Más allá del vinagre y de la muerte,
entre putrefacciones y violetas,
con tu celeste voz y tus zapatos húmedos,
20 vienes volando.

Sobre diputaciones y farmacias,
y ruedas, y abogados, y navíos,
y dientes rojos recién arrancados,
24 vienes volando.

Sobre ciudades de tejado hundido
en que grandes mujeres se destrenzan
con anchas manos y peines perdidos,
28 vienes volando.

Junto a bodegas donde el vino crece
con tibias manos turbias, en silencio,
con lentas manos de madera roja,
32 vienes volando.

Entre aviadores desaparecidos,
al lado de canales y de sombras,

al lado de azucenas enterradas,
36 vienes volando.

Entre botellas de color amargo,
entre anillos de anís y desventura,
levantando las manos y llorando,
40 vienes volando.

Sobre dentistas y congregaciones,
sobre cines, y túneles y orejas,
con traje nuevo y ojos extinguidos,
44 vienes volando.

Sobre tu cementerio sin paredes
donde los marineros se extravían,
mientras la lluvia de tu muerte cae,
48 vienes volando.

Mientras la lluvia de tus dedos cae,
mientras la lluvia de tus huesos cae,
mientras tu médula y tu risa caen,
52 vienes volando.

Sobre las piedras en que te derrites,
corriendo, invierno abajo, tiempo abajo,
mientras tu corazón desciende en gotas,
56 vienes volando.

No estás allí, rodeado de cemento,
y negros corazones de notarios,
y enfurecidos huesos de jinetes:
60 vienes volando.

Oh amapola marina, oh deudo mío,
oh guitarrero vestido de abejas,
no es verdad tanta sombra en tus cabellos:
64 vienes volando.

No es verdad tanta sombra persiguiéndote,
no es verdad tantas golondrinas muertas,
tanta región oscura con lamentos:
68 vienes volando.

El viento negro de Valparaíso
abre sus alas de carbón y espuma

para barrer el cielo donde pasas:
72 vienes volando.

Hay vapores, y un frío de mar muerto,
y silbatos, y meses, y un olor
de mañana lloviendo y peces sucios:
76 vienes volando.

Hay ron, tú y yo, y mi alma donde lloro,
y nadie, y nada, sino una escalera
de peldaños quebrados, y un paraguas:
80 vienes volando.

Allí está el mar. Bajo de noche y te oigo
venir volando bajo el mar sin nadie,
bajo el mar que me habita, oscurecido:
84 vienes volando.

Oigo tus alas y tu lento vuelo,
y el agua de los muertos me golpea
como palomas ciegas y mojadas:
88 vienes volando.

Vienes volando, solo solitario,
solo entre muertos, para siempre solo,
vienes volando sin sombra y sin nombre,
92 sin azúcar, sin boca, sin rosales,
vienes volando.

From *Residencia en la tierra 1931-1935* (1935);
first published in *Revista de Occidente*
(Madrid), July 1934.

## *NO HAY OLVIDO (SONATA)*

Si me preguntáis en dónde he estado
debo decir "Sucede".
Debo de hablar del suelo que oscurecen las piedras,
4 del río que durando se destruye:
no sé sino las cosas que los pájaros pierden,
el mar dejado atrás, o mi hermana llorando.
Por qué tantas regiones, por qué un día
8 se junta con un día? Por qué una negra noche

se acumula en la boca? Por qué muertos?

Si me preguntáis de dónde vengo, tengo que conversar con cosas rotas,
con utensilios demasiado amargos,
12 con grandes bestias a menudo podridas
y con mi acongojado corazón.

No son recuerdos los que se han cruzado
ni es la paloma amarillenta que duerme en el olvido,
16 sino caras con lágrimas,
dedos en la garganta,
y lo que se desploma de las hojas:
la oscuridad de un día transcurrido,
20 de un día alimentado con nuestra triste sangre.

He aquí violetas, golondrinas,
todo cuanto nos gusta y aparece
en las dulces tarjetas de larga cola
24 por donde se pasean el tiempo y la dulzura.
Pero no penetremos más allá de esos dientes,
no mordamos las cáscaras que el silencio acumula,
porque no sé qué contestar:
28 hay tantos muertos,
y tantos malecones que el sol rojo partía,
y tantas cabezas que golpean los buques,
y tantas manos que han encerrado besos,
32 y tantas cosas que quiero olvidar.

From *Residencia en la tierra 1931-1935* (1935).

## *SOBRE UNA POESÍA SIN PUREZA*

Es muy conveniente, en ciertas horas del día o de la noche, observar profundamente los objetos en descanso: Las ruedas que han recorrido largas, polvorientas distancias, soportando grandes cargas vegetales o minerales, los sacos de las carbonerías, los barriles, las cestas, los mangos y asas de los instrumentos del carpintero. De ellos se desprende el contacto del hombre y de la tierra como una lección para el torturado poeta lírico. Las superficies usadas, el gasto que las manos han infligido a las cosas, la atmósfera a menudo trágica y siempre patética de estos objetos, infunde una especie de atracción no despreciable hacia la realidad del mundo.

La confusa impureza de los seres humanos se percibe en ellos, la agrupación, uso y desuso de los materiales, las huellas del pie y de los dedos, la constancia de una atmósfera humana inundando las cosas desde lo interno y lo externo.

Así sea la poesía que buscamos, gastada como por un ácido por los deberes de la mano, penetrada por el sudor y el humo, oliente a orina y a azucena salpicada por las diversas profesiones que se ejercen dentro y fuera de la ley.

Una poesía impura como un traje, como un cuerpo, con manchas de nutrición, y actitudes vergonzosas, con arrugas, observaciones, sueños, vigilia, profecías, declaraciones de amor y de odio, bestias, sacudidas, idilios, creencias políticas, negaciones, dudas, afirmaciones, impuestos.

La sagrada ley del madrigal y los decretos del tacto, olfato, gusto, vista, oído, el deseo de justicia, el deseo sexual, el ruido del océano, sin excluir deliberadamente nada, sin aceptar deliberadamente nada, la entrada en la profundidad de las cosas en un acto de arrebatado amor, y el producto poesía manchado de palomas digitales, con huellas de dientes y hielo, roído tal vez levemente por el sudor y el uso. Hasta alcanzar esa dulce superficie del instrumento tocado sin descanso, esa suavidad durísima de la madera manejada, del orgulloso hierro. La flor, el trigo, el agua tienen también esa consistencia especial, ese recurso de un magnífico tacto.

Y no olvidemos nunca la melancolía, el gastado sentimentalismo, perfectos frutos impuros de maravillosa calidad olvidada, dejados atrás por el frenético libresco: la luz de la luna, el cisne en el anochecer, "corazón mío" son sin duda lo poético elemental e imprescindible. Quien huye del mal gusto cae en el hielo.

Published in *Caballo verde para la poesía* (Madrid),
No. 1, October 1935.

## *LOS TEMAS*

Hacia el camino del nocturno extiende los dedos la grave estatua férrea de estatura implacable. Los cantos sin consulta, las manifestaciones del corazón corren con ansiedad a su dominio: la poderosa estrella polar, el alhelí planetario, las grandes sombras invaden el azul.

El espacio, la magnitud herida se avecinan. No los frecuentan los miserables hijos de las capacidades y del tiempo a tiempo. Mientras la infinita luciérnaga deshace en polvo ardiendo su cola fosfórea, los estudiantes de la tierra, los seguros geógrafos, los empresarios se deciden a dormir. Los abogados, los destinatarios.

Sólo solamente algún cazador aprisionado en medio de los bosques, agobiado de aluminio celestial, estrellado por furiosas estrellas, solemnemente levanta la mano enguantada y se golpea el sitio del corazón.

El sitio del corazón nos pertenece. Sólo solamente desde allí, con auxilio de la negra noche, del otoño desierto, salen, al golpe de la mano, los cantos del corazón.

Como lava o tinieblas, como temblor bestial, como campanada sin rumbo, la poesía mete las manos en el miedo, en las angustias, en las enfermedades del corazón. Siempre existen afuera las grandes decoraciones que imponen la soledad y el olvido: árboles, estrellas. El poeta vestido de luto escribe temblorosamente muy solitario.

Published in *Caballo verde para la poesía* (Madrid),
No. 2, November 1935.

## *REUNIÓN BAJO LAS NUEVAS BANDERAS*

Quién ha mentido? El pie de la azucena
roto, insondable, oscurecido, todo
lleno de herida y resplandor oscuro!
4 Todo, la norma de ola en ola en ola,
el impreciso túmulo del ámbar
y las ásperas gotas de la espiga!
Fundé mi pecho en esto, escuché toda
8 la sal funesta: de noche
fui a plantar mis raíces:
averigüé lo amargo de la tierra:

todo fue para mí noche o relámpago:
12 cera secreta cupo en mi cabeza
y derramó cenizas en mis huellas.

Y para quién busqué este pulso frío
sino para una muerte?
16 Y qué instrumento perdí en las tinieblas
desamparadas, donde nadie me oye?
No,
ya era tiempo, huíd,
20 sombras de sangre,
hielos de estrella, retroceded al paso de los pasos
humanos
y alejad de mis pies la negra sombra!

Yo de los hombres tengo la misma mano herida,
24 yo sostengo la misma copa roja
e igual asombro enfurecido:
un día
palpitante de sueños
28 humanos, un salvaje
cereal ha llegado
a mi devoradora noche
para que junte mis pasos de lobo
32 a los pasos del hombre.
Y así, reunido,
duramente central, no busco asilo
en los huecos del llanto: muestro
36 la cepa de la abeja: pan radiante
para el hijo del hombre: en el misterio el azul se
prepara
para mirar un trigo lejano de la sangre.
Dónde está tu sitio en la rosa?
40 En dónde está tu párpado de estrella?
Olvidaste esos dedos de sudor que enloquecen
por alcanzar la arena?
Paz para ti, sol sombrío,
44 paz para ti, frente ciega,
hay un quemante sitio para ti en los caminos,
hay piedras sin misterio que te miran,
hay silencios de cárcel con una estrella loca,
48 desnuda, desbocada, contemplando el infierno.

Juntos, frente al sollozo!

Es la hora
alta de tierra y de perfume, mirad este rostro
52 recién salido de la sal terrible,
mirad esta boca amarga que sonríe,
mirad este nuevo corazón que os saluda
con su flor desbordante, determinada y áurea.

From *Tercera residencia* (1947); first published in *España Peregrina* (México), II, Nos. 8-9, 12th October 1940.

## *EXPLICO ALGUNAS COSAS*

Preguntaréis: Y dónde están las lilas?
Y la metafísica cubierta de amapolas?
Y la lluvia que a menudo golpeaba
4 sus palabras llenándolas
de agujeros y pájaros?

Os voy a contar todo lo que me pasa.

Yo vivía en un barrio
8 de Madrid, con campanas,
con relojes, con árboles.

Desde allí se veía
el rostro seco de Castilla
12 como un océano de cuero.
Mi casa era llamada
la casa de las flores, porque por todas partes
estallaban geranios: era
16 una bella casa
con perros y chiquillos.
Raúl, te acuerdas?
Te acuerdas, Rafael?
20 Federico, te acuerdas
debajo de la tierra,
te acuerdas de mi casa con balcones en donde
la luz de junio ahogaba flores en tu boca?
24 Hermano, hermano!
Todo
eran grandes voces, sal de mercaderías,
aglomeraciones de pan palpitante,

28 mercados de mi barrio de Argüelles con su estatua
como un tintero pálido entre las merluzas:
el aceite llegaba a las cucharas,
un profundo latido
32 de pies y manos llenaba las calles,
metros, litros, esencia
aguda de la vida,
pescados hacinados,
36 contextura de techos con sol frío en el cual
la flecha se fatiga,
delirante marfil fino de las patatas,
tomates repetidos hasta el mar.

40 Y una mañana todo estaba ardiendo
y una mañana las hogueras
salían de la tierra
devorando seres,
44 y desde entonces fuego,
pólvora desde entonces,
y desde entonces sangre.
Bandidos con aviones y con moros,
48 bandidos con sortijas y duquesas,
bandidos con frailes negros bendiciendo
venían por el cielo a matar niños,
y por las calles la sangre de los niños
52 corría simplemente, como sangre de niños.

Chacales que el chacal rechazaría,
piedras que el cardo seco mordería escupiendo,
víboras que las víboras odiaran!

56 Frente a vosotros he visto la sangre
de España levantarse
para ahogaros en una sola ola
de orgullo y de cuchillos!

60 Generales
traidores:
mirad mi casa muerta,
mirad España rota:
64 pero de cada casa muerta sale metal ardiendo
en vez de flores,
pero de cada hueco de España
sale España,

68 pero de cada niño muerto sale un fusil con ojos,
pero de cada crimen nacen balas
que os hallarán un día el sitio
del corazón.

72 Preguntaréis por qué su poesía
no nos habla del sueño, de las hojas,
de los grandes volcanes de su país natal?

Venid a ver la sangre por las calles,
76 venid a ver
la sangre por las calles,
venid a ver la sangre
por las calles!

From *España en el corazón* (1937), which became section IV of *Tercera residencia* (1947).

## *SANJURJO EN LOS INFIERNOS*

Amarrado, humeante, acordelado
a su traidor avión, a sus traiciones
se quema el traidor traicionado.

4 Como fósforo queman sus riñones
y su siniestra boca de soldado
traidor se derrite en maldiciones,

por las eternas llamas piloteado,
8 conducido y quemado por aviones,
de traición en traición quemado.

From *España en el corazón* (1937), which became section IV of *Tercera residencia* (1947).

## *CANTO SOBRE UNAS RUINAS*

Esto que fue creado y dominado,
esto que fue humedecido, usado, visto,
yace —pobre pañuelo— entre las olas
4 de tierra y negro azufre.
Como el botón o el pecho
se levantan al cielo, como la flor que sube

desde el hueso destruido, así las formas
8 del mundo aparecieron. Oh párpados,
oh columnas, oh escalas!

                    Oh profundas materias
agregadas y puras: cuánto hasta ser campanas!
12 cuánto hasta ser relojes! Aluminio
de azules proporciones, cemento
pegado al sueño de los seres!

                    El polvo se congrega,
16 la goma, el lodo, los objetos crecen
y las paredes se levantan
como parras de oscura piel humana.

                    Allí dentro en blanco, en cobre,
20 en fuego, en abandono, los papeles crecían,
el llanto abominable, las prescripciones
llevadas en la noche a la farmacia mientras
alguien con fiebre,
24 la seca sien mental, la puerta
que el hombre ha construido
para no abrir jamás.

                    Todo ha ido y caído
28 brutalmente marchito.

                    Utensilios heridos, telas
nocturnas, espuma sucia, orines justamente
vertidos, mejillas, vidrio, lana,
32 alcanfor, círculos de hilo y cuero, todo,
todo por una rueda vuelto al polvo,
al desorganizado sueño de los metales,
todo el perfume, todo lo fascinado,
36 todo reunido en nada, todo caído
para no nacer nunca.

                    Sed celeste, palomas
con cintura de harina: épocas
40 de polen y racimo, ved cómo
la madera se destroza
hasta llegar al luto: no hay raíces
para el hombre: todo descansa apenas
44 sobre un temblor de lluvia.

                    Ved cómo se ha podrido
la guitarra en la boca de la fragante novia:
ved cómo las palabras que tanto construyeron,

48 ahora son exterminio: mirad sobre la cal y entre el mármol deshecho
la huella —ya con musgos— del sollozo.

From *España en el corazón* (1937), which later became section IV of *Tercera residencia* (1947); first published in *Los Poetas del Mundo Defienden al Pueblo Español* (Madrid), No. 1, November 1936.

## *SALUDO AL NORTE*

Norte, llego por fin a tu bravío
silencio mineral de ayer y de hoy,
vengo a buscar tu voz y a conocer lo mío,
4 y no te traigo un corazón vacío:
te traigo todo lo que soy.

Porque la patria lleva en la cintura
tal vez un ramo de copihue en flor
8 pero en el esplendor de su figura
lleva brillando en su cabeza oscura
una corona de sudor.

Norte, hasta en las lejanas alegrías
12 de las húmedas tierras labrantías
brillan las gotas que le diste:
toda la patria está condecorada
con el sudor de tu jornada:
16 porque trabajas tú la patria existe.

Arañando el metal de tus raíces
el hombre te llenó de cicatrices
y cayeron en un cauce de espuma
20 las silenciosas sales salitreras
llegando a tus ciudades marineras
desde la pampa de color de puma.

Para que llegue hasta la mesa el trigo
24 en la más dura entraña está tu mano.
Siempre está en lucha tu metal humano
con todos los metales enemigos.
Quiero luchar contigo, hermano.

28 Quiero en tu territorio calcinado
pasar mi corazón como un arado
así enterrando la semilla ardiente.
Quiero cantar entre tu recia gente.

32 Quiero también oír la voz sufrida,
la canción de la pampa removida
como el corazón del pampino,
vieja canción que aprieta la garganta
36 con un nudo de lágrimas que canta
las amarguras del destino.

Vieja canción de duelo y rebeldía
salida de la sangre y la agonía
40 como una lágrima que estalla,
y que lleva en sus sílabas sangrientas
las semillas del viento y la tormenta
nacidas bajo la metralla.

44 Quiero que esté mi voz en los rincones
de la pampa, tocando los terrones,
y se elabore con caliche el canto,
y otra vez se alce barrenando el pique
48 y quiero que la sangre me salpique
cuando sobre la pampa llueve llanto.

Cuando ruedas al fondo, hermano duro,
quemado, hundido, derribado, herido,
52 y en un cajón tus huesos vuelven al sitio oscuro
donde tu corazón golpeó el primer latido
como tu primer golpe de pala sobre el muro.

Yo quiero estar contigo en el día amarillo
56 de Sierra Overa y de María Polvillo,
cuando entra el polvo ceniciento
de noche, de tarde y de día,
cubriendo con su manto lento
60 el sueño, el pan y la alegría.

Como una campana de plata
mi voz más alta y más segura
que el trueno de Chuquicamata,
64 para la pampa, tierra dura,
para la mano del minero,

para los ojos arrasados,
para los pulmones quebrados,
68 para los niños lastimeros.

Y por los socavones de misterio
como desmoronados monasterios,
los techos rotos, las vacías puertas,
72 quedan como preguntas demolidas,
junto a un montón de tumbas esparcidas,
las solitarias oficinas muertas.

Quiero que esté mi canto donde antaño,
76 con su mirada gris y su pelo de estaño,
Recabarren, el Padre, comenzó su jornada,
de orilla a orilla del desierto,
con la misma bandera, que llevo levantada.
80 Porque Recabarren no ha muerto.

La pampa es él. Su rostro es la planicie,
su rostro es la arrugada superficie
de la pampa, como él áspera y fina,
84 su voz nos habla aún por la boca del viento,
su viejo traje está en el campamento:
su corazón está en la mina.

Y aquí viene Lafertte. Lafertte viene ahora
88 paso a paso, luchando, descifrando la aurora
sobre la pampa tutelar
que sudor, sangre y lágrimas en la noche callada
acumuló esperando la alborada
92 que nos verá triunfar.

Arde una estrella en la sombra pampina
como una lanza azul, como una espina
bajo la noche capital.
96 Arde en las soledades enemigas
como una rosa azul, como una espiga
sobre el nitrato y el metal.

Sobre el accidentado en su agonía,
100 sobre el amanecer y la alegría
que como el mar te bañe,
Norte, deja que cante sobre tu pecho amigo.
Yo quiero que la Patria esté contigo.
104 Quiero que Chile te acompañe.

Autoriza mi voz en tus desiertos,
entre tu brava gente, entre tus muertos,
junto a las rocas de tu litoral,
108 para que se derrame en tus rodillas
como un río de espigas amarillas
nuestro canto de pampa y de trigal.

Nuestro canto de tierra y de promesa,
112 nuestro canto de pan sobre la mesa,
nuestro canto de nuevo mineral,
nuestra canción de naves y de usinas,
nuestro canto de surcos y de minas,
116 nuestra palabra de Unión Nacional.

Yo quiero junto al mar de tus metales
celebrar tus ciudades litorales
que brotan de la arena desolada,
120 Iquique azul, Tocopilla florida,
Antofagasta de luz construida,
Taltal, paloma abandonada.

Arica, flor de azúcar y blancura,
124 de nuestra dulce patria frente pura,
rosa de arena, flor distante,
toca el Perú tu cabeza pampina
y como una luciérnaga marina
128 adelantas la patria al hijo errante.

Chile, cuando se hizo tu figura,
cuajado entre el océano y la altura
quedaste, como antorcha iluminada.
132 El sur forma tu verde empuñadura.
El norte construyó tu forma dura.
Y eres, Tarapacá, la llamarada.

Patria, la libertad es tu hermosura.
136 Y para defender su lumbre pura
aquí estamos tus hijos agrupados:
el que salió de la caverna oscura
y el que está por los mares derramado,
140 el constructor sobre su arquitectura
hasta el agricultor desde su arado:
juntos alrededor de tu figura
porque la libertad nos ha llamado.

Published in *El Siglo* (Santiago), 27th February 1945.

## *SALITRE*

Salitre, harina de la luna llena,
cereal de la pampa calcinada,
espuma de las ásperas arenas,
4 jazminero de flores enterradas.

Polvo de estrella hundida en tierra oscura,
nieve de soledades abrasadas,
cuchillo de nevada empuñadura,
8 rosa blanca de sangre salpicada.

Junto a tu nívea luz de estalactita,
duelo, viento y dolor, el hombre habita:
harapo y soledad son su medalla.

12 Hermanos de las tierras desoladas:
aquí tenéis como un montón de espadas
mi corazón dispuesto a la batalla.

Published in *El Siglo* (Santiago), 27th December 1946.

## *LA PATRIA PRISIONERA*

Patria de mi ternura y mis dolores,
patria de amor, de primavera y agua,
hoy sangran tus banderas tricolores
4 sobre las alambradas de Pisagua.

Existes, patria, sobre los temores
y arde tu corazón de fuego y fragua
hoy, entre carceleros y traidores,
8 ayer, entre los muros de Rancagua.

Pero saldrás al aire, a la alegría,
saldrás del duelo de estas agonías,
y de esta sumergida primavera,

12 libre en la dignidad de tu derecho
y cantará en la luz, y a pleno pecho,
tu dulce voz, oh, patria prisionera!

Published in *Unidad* (Santiago), No. 60,
December 1947.

## *AMOR AMÉRICA (1400)*

*Antes de la peluca y la casaca*
*fueron los ríos, ríos arteriales:*
*fueron las cordilleras, en cuya onda raída*
4 *el cóndor o la nieve parecían inmóviles:*
*fue la humedad y la espesura, el trueno*
*sin nombre todavía, las pampas planetarias.*

*El hombre tierra fue, vasija, párpado*
8 *del barro trémulo, forma de la arcilla,*
*fue cántaro caribe, piedra chibcha,*
*copa imperial o sílice araucana.*
*Tierno y sangriento fue, pero en la empuñadura*
12 *de su arma de cristal humedecida,*
*las iniciales de la tierra estaban*
*escritas.*
*Nadie pudo*
16 *recordarlas después: el viento*
*las olvidó, el idioma del agua*
*fue enterrado, las claves se perdieron*
*o se inundaron de silencio o sangre.*

20 *No se perdió la vida, hermanos pastorales.*
*Pero como una rosa salvaje*
*cayó una gota roja en la espesura*
*y se apagó una lámpara de tierra.*

24 *Yo estoy aquí para contar la historia.*
*Desde la paz del búfalo*
*hasta las azotadas arenas*
*de la tierra final, en las espumas*
28 *acumuladas de la luz antártica,*
*y por las madrigueras despeñadas*
*de la sombría paz venezolana,*
*te busqué, padre mío,*
32 *joven guerrero de tiniebla y cobre,*
*oh tú, planta nupcial, cabellera indomable,*
*madre caimán, metálica paloma.*

*Yo, incásico del légamo,*
36 *toqué la piedra y dije:*

*Quién*
*me espera? Y apreté la mano*
*sobre un puñado de cristal vacío.*
40 *Pero anduve entre flores zapotecas*
*y dulce era la luz como un venado,*
*y era la sombra como un párpado verde.*

*Tierra mía sin nombre, sin América,*
44 *estambre equinoccial, lanza de púrpura,*
*tu aroma me trepó por las raíces*
*hasta la copa que bebía, hasta la más delgada*
*palabra aún no nacida de mi boca.*

Opening poem of *Canto general* (1950), Part I; first published as «Amo América» in *Himno y regreso* (Colección Residencia en la Tierra, 10, Santiago 1948).

## *LOS HOMBRES*

Como la copa de la arcilla era
la raza mineral, el hombre
hecho de piedras y de atmósfera,
4 limpio como los cántaros, sonoro.
La luna amasó a los caribes,
extrajo oxígeno sagrado,
machacó flores y raíces.
8 Anduvo el hombre de las islas
tejiendo ramos y guirnaldas
de polymitas azufradas,
y soplando el tritón marino
12 en la orilla de las espumas.

El tarahumara se vistió de aguijones
y en la extensión del Noroeste
con sangre y pedernales creó el fuego,
16 mientras el universo iba naciendo
otra vez en la arcilla del tarasco:
los mitos de las tierras amorosas,
la exuberancia húmeda de donde
20 lodo sexual y frutas derretidas
iban a ser actitud de los dioses
o pálidas paredes de vasijas.

Como faisanes deslumbrantes
24 descendían los sacerdotes
de las escaleras aztecas.
Los escalones triangulares
sostenían el innumerable
28 relámpago de las vestiduras.
Y la pirámide augusta,
piedra y piedra, agonía y aire,
en su estructura dominadora
32 guardaba como una almendra
un corazón sacrificado.
En un trueno como un aullido
caía la sangre por
36 las escalinatas sagradas.
Pero muchedumbres de pueblos
tejían la fibra, guardaban
el porvenir de las cosechas,
40 trenzaban el fulgor de la pluma,
convencían a la turquesa,
y en enredaderas textiles
expresaban la luz del mundo.

44 Mayas, habíais derribado
el árbol del conocimiento.
Con olor de razas graneras
se elevaban las estructuras
48 del examen y de la muerte,
y escrutabais en los cenotes,
arrojándoles novias de oro,
la permanencia de los gérmenes.

52 Chichén, tus rumores crecían
en el amanecer de la selva.
Los trabajos iban haciendo
la simetría del panal
56 en tu ciudadela amarilla,
y el pensamiento amenazaba
la sangre de los pedestales,
desmontaba el cielo en la sombra,
60 conducía la medicina,
escribía sobre las piedras.

Era el Sur un asombro dorado.
Las altas soledades

64 de Macchu Picchu en la puerta del cielo
estaban llenas de aceites y cantos,
el hombre había roto las moradas
de grandes aves en la altura,
68 y en el nuevo dominio entre las cumbres
el labrador tocaba la semilla
con sus dedos heridos por la nieve.

El Cuzco amanecía como un
72 trono de torreones y graneros
y era la flor pensativa del mundo
aquella raza de pálida sombra
en cuyas manos abiertas temblaban
76 diademas de imperiales amatistas.
Germinaba en las terrazas
el maíz de las altas tierras
y en los volcánicos senderos
80 iban los vasos y los dioses.
La agricultura perfumaba
el reino de las cocinas
y extendía sobre los techos
84 un manto de sol desgranado.

(Dulce raza, hija de sierras,
estirpe de torre y turquesa,
ciérrame los ojos ahora,
88 antes de irnos al mar
de donde vienen los dolores.)

Aquella selva azul era una gruta
y en el misterio de árbol y tiniebla
92 el guaraní cantaba como
el humo que sube en la tarde,
el agua sobre los follajes,
la lluvia en un día de amor,
96 la tristeza junto a los ríos.

En el fondo de América sin nombre
estaba Arauco entre las aguas
vertiginosas, apartado
100 por todo el frío del planeta.
Mirad el gran Sur solitario.
No se ve humo en la altura.
Sólo se ven los ventisqueros

104 y el vendaval rechazado
por las ásperas araucarias.
No busques bajo el verde espeso
el canto de la alfarería.

108 Todo es silencio de agua y viento.

Pero en las hojas mira el guerrero.
Entre los alerces un grito.
Unos ojos de tigre en medio
112 de las alturas de la nieve.

Mira las lanzas descansando.
Escucha el susurro del aire
atravesado por las flechas.
116 Mira los pechos y las piernas
y las cabelleras sombrías
brillando a la luz de la luna.

Mira el vacío de los guerreros.

120 No hay nadie. Trina la diuca
como el agua en la noche pura.

Cruza el cóndor su vuelo negro.

No hay nadie. Escuchas? Es el paso
124 del puma en el aire y las hojas.

No hay nadie. Escucha. Escucha el árbol,
escucha el árbol araucano.

No hay nadie. Mira las piedras.

128 Mira las piedras de Arauco.

No hay nadie, sólo son los árboles.

Sólo son las piedras, Arauco.

From *Canto general* (1950), Part I.

## *ALTURAS DE MACCHU PICCHU*

### I

Del aire al aire, como una red vacía,
iba yo entre las calles y la atmósfera, llegando y
despidiendo,
en el advenimiento del otoño la moneda extendida
4 de las hojas, y entre la primavera y las espigas,
lo que el más grande amor, como dentro de un
guante
que cae, nos entrega como una larga luna.

(Días de fulgor vivo en la intemperie
8 de los cuerpos: aceros convertidos
al silencio del ácido:
noches deshilachadas hasta la última harina:
estambres agredidos de la patria nupcial.)

12 Alguien que me esperó entre los violines
encontró un mundo como una torre enterrada
hundiendo su espiral más abajo de todas
las hojas de color de ronco azufre:
16 más abajo, en el oro de la geología,
como una espada envuelta en meteoros,
hundí la mano turbulenta y dulce
en lo más genital de lo terrestre.

20 Puse la frente entre las olas profundas,
descendí como gota entre la paz sulfúrica,
y, como un ciego, regresé al jazmín
de la gastada primavera humana.

### II

24 Si la flor a la flor entrega el alto germen
y la roca mantiene su flor diseminada
en su golpeado traje de diamante y arena,
el hombre arruga el pétalo de la luz que recoge
28 en los determinados manantiales marinos
y taladra el metal palpitante en sus manos.
Y pronto, entre la ropa y el humo, sobre la mesa
hundida,

como una barajada cantidad, queda el alma:
32 cuarzo y desvelo, lágrimas en el océano
como estanques de frío: pero aún
mátala y agonízala con papel y con odio,
sumérgela en la alfombra cotidiana, desgárrala
36 entre las vestiduras hostiles del alambre.

No: por los corredores, aire, mar o caminos,
quién guarda sin puñal (como las encarnadas
amapolas) su sangre? La cólera ha extenuado
40 la triste mercancía del vendedor de seres,
y, mientras en la altura del ciruelo, el rocío
desde mil años deja su carta transparente
sobre la misma rama que lo espera, oh corazón, oh
frente triturada
44 entre las cavidades del otoño.

Cuántas veces en las calles de invierno de una ciudad o en
un autobús o un barco en el crepúsculo, o en la soledad
más espesa, la de la noche de fiesta, bajo el sonido
48 de sombras y campanas, en la misma gruta del placer humano,
me quise detener a buscar la eterna veta insondable
que antes toqué en la piedra o en el relámpago que
el beso desprendía.

(Lo que en el cereal como una historia amarilla
52 de pequeños pechos preñados va repitiendo un número
que sin cesar es ternura en las capas germinales,
y que, idéntica siempre, se desgrana en marfil
y lo que en el agua es patria transparente, campana
56 desde la nieve aislada hasta las olas sangrientas.)

No pude asir sino un racimo de rostros o de máscaras
precipitadas, como anillos de oro vacío,
como ropas dispersas hijas de un otoño rabioso
60 que hiciera temblar el miserable árbol de las razas
asustadas.

No tuve sitio donde descansar la mano
y que, corriente como agua de manantial encadenado,

o firme como grumo de antracita o cristal,
64 hubiera devuelto el calor o el frío de mi mano extendida.
Qué era el hombre? En qué parte de su conversación abierta
entre los almacenes y los silbidos, en cuál de sus movimientos metálicos
vivía lo indestructible, lo imperecedero, la vida?

III

68 El ser como el maíz se desgranaba en el inacabable
granero de los hechos perdidos, de los acontecimientos
miserables, del uno al siete, al ocho,
y no una muerte, sino muchas muertes llegaba a cada uno:
72 cada día una muerte pequeña, polvo, gusano, lámpara
que se apaga en el lodo del suburbio, una pequeña muerte de alas gruesas
entraba en cada hombre como una corta lanza
y era el hombre asediado del pan o del cuchillo,
76 el ganadero: el hijo de los puertos, o el capitán oscuro del arado,
o el roedor de las calles espesas:
todos desfallecieron esperando su muerte, su corta muerte diaria:
y su quebranto aciago de cada día era
80 como una copa negra que bebían temblando.

IV

La poderosa muerte me invitó muchas veces:
era como la sal invisible en las olas,
y lo que su invisible sabor diseminaba
84 era como mitades de hundimientos y altura
o vastas construcciones de viento y ventisquero.

Yo al férreo filo vine, a la angostura
del aire, a la mortaja de agricultura y piedra,
88 al estelar vacío de los pasos finales
y a la vertiginosa carretera espiral:

pero, ancho mar, oh muerte!, de ola en ola no
vienes,
sino como un galope de claridad nocturna
92 o como los totales números de la noche.

Nunca llegaste a hurgar en el bolsillo, no era
posible tu visita sin vestimenta roja:
sin auroral alfombra de cercado silencio:
96 sin altos y enterrados patrimonios de lágrimas.

No pude amar en cada ser un árbol
con su pequeño otoño a cuestas (la muerte de mil
hojas),
todas las falsas muertes y las resurrecciones
100 sin tierra, sin abismo:
quise nadar en las más anchas vidas,
en las más sueltas desembocaduras,
y cuando poco a poco el hombre fue negándome
104 y fue cerrando paso y puerta para que no tocaran
mis manos manantiales su inexistencia herida,
entonces fui por calle y calle y río y río,
y ciudad y ciudad y cama y cama,
108 y atravesó el desierto mi máscara salobre,
y en las últimas casas humilladas, sin lámpara, sin
fuego,
sin pan, sin piedra, sin silencio, solo,
rodé muriendo de mi propia muerte.

## V

112 No eras tú, muerte grave, ave de plumas férreas,
la que el pobre heredero de las habitaciones
llevaba entre alimentos apresurados, bajo la piel
vacía:
era algo, un pobre pétalo de cuerda exterminada:
116 un átomo del pecho que no vino al combate
o el áspero rocío que no cayó en la frente.
Era lo que no pudo renacer, un pedazo
de la pequeña muerte sin paz ni territorio:
120 un hueso, una campana que morían en él.
Yo levanté las vendas del yodo, hundí las manos
en los pobres dolores que mataban la muerte,
y no encontré en la herida sino una racha fría
124 que entraba por los vagos intersticios del alma.

VI

Entonces en la escala de la tierra he subido
entre la atroz maraña de las selvas perdidas
hasta ti, Macchu Picchu.
128 Alta ciudad de piedras escalares,
por fin morada del que lo terrestre
no escondió en las dormidas vestiduras.
En ti, como dos líneas paralelas,
132 la cuna del relámpago y del hombre
se mecían en un viento de espinas.

Madre de piedra, espuma de los cóndores.

Alto arrecife de la aurora humana.

136 Pala perdida en la primera arena.

Ésta fue la morada, éste es el sitio:
aquí los anchos granos del maíz ascendieron
y bajaron de nuevo como granizo rojo.

140 Aquí la hebra dorada salió de la vicuña
a vestir los amores, los túmulos, las madres,
el rey, las oraciones, los guerreros.

Aquí los pies del hombre descansaron de noche
144 junto a los pies del águila, en las altas guaridas
carniceras, y en la aurora
pisaron con los pies del trueno la niebla enrarecida,
y tocaron las tierras y las piedras
148 hasta reconocerlas en la noche o la muerte.

Miro las vestiduras y las manos,
el vestigio del agua en la oquedad sonora,
la pared suavizada por el tacto de un rostro
152 que miró con mis ojos las lámparas terrestres,
que aceitó con mis manos las desaparecidas
maderas: porque todo, ropaje, piel, vasijas,
palabras, vino, panes,
156 se fue, cayó a la tierra.

Y el aire entró con dedos
de azahar sobre todos los dormidos:

mil años de aire, meses, semanas de aire,
160 de viento azul, de cordillera férrea,
que fueron como suaves huracanes de pasos
lustrando el solitario recinto de la piedra.

## VII

Muertos de un solo abismo, sombras de una hondonada,
164 la profunda, es así como al tamaño
de vuestra magnitud
vino la verdadera, la más abrasadora
muerte y desde las rocas taladradas,
168 desde los capiteles escarlata,
desde los acueductos escalares
os desplomasteis como en un otoño
en una sola muerte.
172 Hoy el aire vacío ya no llora,
ya no conoce vuestros pies de arcilla,
ya olvidó vuestros cántaros que filtraban el cielo
cuando lo derramaban los cuchillos del rayo,
176 y el árbol poderoso fue comido
por la niebla, y cortado por la racha.

Él sostuvo una mano que cayó de repente
desde la altura hasta el final del tiempo.
180 Ya no sois, manos de araña, débiles
hebras, tela enmarañada:
cuanto fuisteis cayó: costumbres, sílabas
raídas, máscaras de luz deslumbradora.

184 Pero una permanencia de piedra y de palabra:
la ciudad como un vaso se levantó en las manos
de todos, vivos, muertos, callados, sostenidos
de tanta muerte, un muro, de tanta vida un golpe
188 de pétalos de piedra: la rosa permanente, la morada:
este arrecife andino de colonias glaciales.

Cuando la mano de color de arcilla
se convirtió en arcilla, y cuando los pequeños párpados se cerraron
192 llenos de ásperos muros, poblados de castillos,
y cuando todo el hombre se enredó en su agujero,

quedó la exactitud enarbolada:
el alto sitio de la aurora humana:
196 la más alta vasija que contuvo el silencio:
una vida de piedra después de tantas vidas.

VIII

Sube conmigo, amor americano.

Besa conmigo las piedras secretas.
200 La plata torrencial del Urubamba
hace volar el polen a su copa amarilla.
Vuela el vacío de la enredadera,
la planta pétrea, la guirnalda dura
204 sobre el silencio del cajón serrano.
Ven, minúscula vida, entre las alas
de la tierra, mientras —cristal y frío, aire golpeado—
apartando esmeraldas combatidas,
208 oh agua salvaje, bajas de la nieve.

Amor, amor, hasta la noche abrupta,
desde el sonoro pedernal andino,
hacia la aurora de rodillas rojas,
212 contempla el hijo ciego de la nieve.

Oh, Wilkamayu de sonoros hilos,
cuando rompes tus truenos lineales
en blanca espuma, como herida nieve,
216 cuando tu vendaval acantilado
canta y castiga despertando al cielo,
qué idioma traes a la oreja apenas
desarraigada de tu espuma andina?

220 Quién apresó el relámpago del frío
y lo dejó en la altura encadenado,
repartido en sus lágrimas glaciales,
sacudido en sus rápidas espadas,
224 golpeando sus estambres aguerridos,
conducido en su cama de guerrero,
sobresaltado en su final de roca?

Qué dicen tus destellos acosados?
228 Tu secreto relámpago rebelde
antes viajó poblado de palabras?
Quién va rompiendo sílabas heladas,

idiomas negros, estandartes de oro,
232 bocas profundas, gritos sometidos,
en tus delgadas aguas arteriales?

Quién va cortando párpados florales
que vienen a mirar desde la tierra?
236 Quién precipita los racimos muertos
que bajan en tus manos de cascada
a desgranar su noche desgranada
en el carbón de la geología?

240 Quién despeña la rama de los vínculos?
Quién otra vez sepulta los adioses?

Amor, amor, no toques la frontera,
ni adores la cabeza sumergida:
244 deja que el tiempo cumpla su estatura
en su salón de manantiales rotos,
y, entre el agua veloz y las murallas,
recoge el aire del desfiladero,
248 las paralelas láminas del viento,
el canal ciego de las cordilleras,
el áspero saludo del rocío,
y sube, flor a flor, por la espesura,
252 pisando la serpiente despeñada.

En la escarpada zona, piedra y bosque,
polvo de estrellas verdes, selva clara,
Mantur estalla como un lago vivo
256 y como un nuevo piso del silencio.

Ven a mi propio ser, al alba mía,
hasta las soledades coronadas.

El reino muerto vive todavía.

260 Y en el Reloj la sombra sanguinaria
del cóndor cruza como una nave negra.

IX

Águila sideral, viña de bruma.
Bastión perdido, cimitarra ciega.
264 Cinturón estrellado, pan solemne.
Escala torrencial, párpado inmenso.

Túnica triangular, polen de piedra.
Lámpara de granito, pan de piedra.
268 Serpiente mineral, rosa de piedra.
Nave enterrada, manantial de piedra.
Caballo de la luna, luz de piedra.
Escuadra equinoccial, vapor de piedra.
272 Geometría final, libro de piedra.
Témpano entre las ráfagas labrado.
Madrépora del tiempo sumergido.
Muralla por los dedos suavizada.
276 Techumbre por las plumas combatida.
Ramos de espejo, bases de tormenta.
Tronos volcados por la enredadera.
Régimen de la garra encarnizada.
280 Vendaval sostenido en la vertiente.
Inmóvil catarata de turquesa.
Campana patriarcal de los dormidos.
Argolla de las nieves dominadas.
284 Hierro acostado sobre sus estatuas.
Inaccesible temporal cerrado.
Manos de puma, roca sanguinaria.
Torre sombrera, discusión de nieve.
288 Noche elevada en dedos y raíces.
Ventana de las nieblas, paloma endurecida.
Planta nocturna, estatua de los truenos.
Cordillera esencial, techo marino.
292 Arquitectura de águilas perdidas.
Cuerda del cielo, abeja de la altura.
Nivel sangriento, estrella construida.
Burbuja mineral, luna de cuarzo.
296 Serpiente andina, frente de amaranto.
Cúpula del silencio, patria pura.
Novia del mar, árbol de catedrales.
Ramo de sal, cerezo de alas negras.
300 Dentadura nevada, trueno frío.
Luna arañada, piedra amenazante.
Cabellera del frío, acción del aire.
Volcán de manos, catarata oscura.
304 Ola de plata, dirección del tiempo.

X

Piedra en la piedra, el hombre, dónde estuvo?
Aire en el aire, el hombre, dónde estuvo?
Tiempo en el tiempo, el hombre, dónde estuvo?
308 Fuiste también el pedacito roto
de hombre inconcluso, de águila vacía
que por las calles de hoy, que por las huellas,
que por las hojas del otoño muerto
312 va machacando el alma hasta la tumba?
La pobre mano, el pie, la pobre vida...
Los días de la luz deshilachada
en ti, como la lluvia
316 sobre las banderillas de la fiesta,
dieron pétalo a pétalo de su alimento oscuro
en la boca vacía?
Hambre, coral del hombre,
320 hambre, planta secreta, raíz de los leñadores,
hambre, subió tu raya de arrecife
hasta estas altas torres desprendidas?

Yo te interrogo, sal de los caminos,
324 muéstrame la cuchara, déjame, arquitectura,
roer con un palito los estambres de piedra,
subir todos los escalones del aire hasta el vacío,
rascar la entraña hasta tocar el hombre.

328 Macchu Picchu, pusiste
piedra en la piedra, y en la base, harapo?
Carbón sobre carbón, y en el fondo la lágrima?
Fuego en el oro, y en él, temblando el rojo
332 goterón de la sangre?
Devuélveme el esclavo que enterraste!
Sacude de las tierras el pan duro
del miserable, muéstrame los vestidos
336 del siervo y su ventana.
Dime cómo durmió cuando vivía.
Dime si fue su sueño
ronco, entreabierto, como un hoyo negro
340 hecho por la fatiga sobre el muro.
El muro, el muro! Si sobre su sueño
gravitó cada piso de piedra, y si cayó bajo ella
como bajo una luna, con el sueño!

344 Antigua América, novia sumergida,

también tus dedos,
al salir de la selva hacia el alto vacío de los dioses,
bajo los estandartes nupciales de la luz y el decoro,
348 mezclándose al trueno de los tambores y de las lanzas,
también, también tus dedos,
los que la rosa abstracta y la línea del frío, los
que el pecho sangriento del nuevo cereal trasladaron
352 hasta la tela de materia radiante, hasta las duras cavidades,
también, también, América enterrada, guardaste en lo más bajo,
en el amargo intestino, como un águila, el hambre?

XI

A través del confuso esplendor,
356 a través de la noche de piedra, déjame hundir la mano
y deja que en mí palpite, como un ave mil años prisionera,
el viejo corazón del olvidado!
Déjame olvidar hoy esta dicha, que es más ancha que el mar,
360 porque el hombre es más ancho que el mar y que sus islas,
y hay que caer en él como en un pozo para salir del fondo
con un ramo de agua secreta y de verdades sumergidas.
Déjame olvidar, ancha piedra, la proporción poderosa,
364 la trascendente medida, las piedras del panal,
y de la escuadra déjame hoy resbalar
la mano sobre la hipotenusa de áspera sangre y cilicio.

Cuando, como una herradura de élitros rojos, el cóndor furibundo
368 me golpea las sienes en el orden del vuelo
y el huracán de plumas carniceras barre el polvo sombrío
de las escalinatas diagonales, no veo a la bestia veloz,

no veo el ciego ciclo de sus garras,
372 veo el antiguo ser, servidor, el dormido
en los campos, veo un cuerpo, mil cuerpos, un hombre, mil mujeres,
bajo la racha negra, negros de lluvia y noche,
con la piedra pesada de la estatua:
376 Juan Cortapiedras, hijo de Wiracocha,
Juan Comefrío, hijo de estrella verde,
Juan Piesdescalzos, nieto de la turquesa,
sube a nacer conmigo, hermano.

## XII

380 Sube a nacer conmigo, hermano.

Dame la mano desde la profunda
zona de tu dolor diseminado.
No volverás del fondo de las rocas.
384 No volverás del tiempo subterráneo.
No volverá tu voz endurecida.
No volverán tus ojos taladrados.
Mírame desde el fondo de la tierra,
388 labrador, tejedor, pastor callado:
domador de guanacos tutelares:
albañil del andamio desafiado:
aguador de las lágrimas andinas:
392 joyero de los dedos machacados:
agricultor temblando en la semilla:
alfarero en tu greda derramado:
traed a la copa de esta nueva vida
396 vuestros viejos dolores enterrados.
Mostradme vuestra sangre y vuestro surco,
decidme: aquí fui castigado,
porque la joya no brilló o la tierra
400 no entregó a tiempo la piedra o el grano:
señaladme la piedra en que caísteis
y la madera en que os crucificaron,
encendedme los viejos pedernales,
404 las viejas lámparas, los látigos pegados
a través de los siglos en las llagas
y las hachas de brillo ensangrentado.
Yo vengo a hablar por vuestra boca muerta.
408 A través de la tierra juntad todos
los silenciosos labios derramados

y desde el fondo habladme toda esta larga noche
como si yo estuviera con vosotros anclado,
412 contadme todo, cadena a cadena,
eslabón a eslabón, y paso a paso,
afilad los cuchillos que guardasteis,
ponedlos en mi pecho y en mi mano,
416 como un río de rayos amarillos,
como un río de tigres enterrados,
y dejadme llorar, horas, días, años,
edades ciegas, siglos estelares.

420 Dadme el silencio, el agua, la esperanza.

Dadme la lucha, el hierro, los volcanes.

Apegadme los cuerpos como imanes.

Acudid a mis venas y a mi boca.

424 Hablad por mis palabras y mi sangre.

Part II of *Canto general* (1950); first published in two instalments in *Revista Nacional de Cultura* (Caracas), i-vii in No. 57, July 1946, and viii-xii in No. 58, August 1946.

## *DESCUBRIDORES DE CHILE*

Del Norte trajo Almagro su arrugada centella.
Y sobre el territorio, entre explosión y ocaso,
se inclinó día y noche como sobre una carta.
4 Sombra de espinas, sombra de cardo y cera,
el español reunido con su seca figura,
mirando las sombrías estrategias del suelo.
Noche, nieve y arena hacen la forma
8 de mi delgada patria,
todo el silencio está en su larga línea,
toda la espuma sale de su barba marina,
todo el carbón la llena de misteriosos besos.
12 Como una brasa el oro arde en sus dedos
y la plata ilumina como una luna verde
su endurecida forma de tétrico planeta.
El español sentado junto a la rosa un día,
16 junto al aceite, junto al vino, junto al antiguo cielo

no imaginó este punto de colérica piedra
nacer bajo el estiércol del águila marina.

From *Canto general* (1950), Part III; first published in Oreste Plath, *Poetas y poesía de Chile* (Santiago) 1941.

## *ERCILLA*

Piedras de Arauco y desatadas rosas
fluviales, territorios de raíces,
se encuentran con el hombre que ha llegado de España.
4 Invaden su armadura con gigantesco liquen.
Atropellan su espada las sombras del helecho.
La yedra original pone manos azules
en el recién llegado silencio del planeta.
8 Hombre, Ercilla sonoro, oigo el pulso del agua
de tu primer amanecer, un frenesí de pájaros
y un trueno en el follaje.
Deja, deja tu huella
12 de águila rubia, destroza
tu mejilla contra el maíz salvaje,
todo será en la tierra devorado.
Sonoro, sólo tú no beberás la copa
16 de sangre, sonoro, sólo al rápido
fulgor de ti nacido
llegará la secreta boca del tiempo en vano
para decirte: en vano.
20 En vano, en vano
sangre por los ramajes de cristal salpicado,
en vano por las noches del puma
el desafiante paso del soldado,
24 las órdenes,
los pasos
del herido.
Todo vuelve al silencio coronado de plumas
28 en donde un rey remoto devora enredaderas.

From *Canto general* (1950), Part III; first published in Neruda, *Selección*, ed. A. Aldunate Phillips (Santiago) 1943.

## [*LOS LIBERTADORES*]

*Aquí viene el árbol, el árbol*
*de la tormenta, el árbol del pueblo.*
*De la tierra suben sus héroes*
4 *como las hojas por la savia,*
*y el viento estrella los follajes*
*de muchedumbre rumorosa,*
*hasta que cae la semilla*
8 *del pan otra vez a la tierra.*

*Aquí viene el árbol, el árbol*
*nutrido por muertos desnudos,*
*muertos azotados y heridos,*
12 *muertos de rostros imposibles,*
*empalados sobre una lanza,*
*desmenuzados en la hoguera,*
*decapitados por el hacha,*
16 *descuartizados a caballo,*
*crucificados en la iglesia.*

*Aquí viene el árbol, el árbol*
*cuyas raíces están vivas,*
20 *sacó salitre del martirio,*
*sus raíces comieron sangre*
*y extrajo lágrimas del suelo:*
*las elevó por sus ramajes,*
24 *las repartió en su arquitectura.*
*Fueron flores invisibles,*
*a veces, flores enterradas,*
*otras veces iluminaron*
28 *sus pétalos, como planetas.*

*Y el hombre recogió en las ramas*
*las caracolas endurecidas,*
*las entregó de mano en mano*
32 *como magnolias o granadas*
*y de pronto, abrieron la tierra,*
*crecieron hasta las estrellas.*

*Éste es el árbol de los libres.*
36 *El árbol tierra, el árbol nube,*
*el árbol pan, el árbol flecha,*

*el árbol puño, el árbol fuego.*
*Lo ahoga el agua tormentosa*
40 *de nuestra época nocturna,*
*pero su mástil balancea*
*el ruedo de su poderío.*

*Otras veces, de nuevo caen*
44 *las ramas rotas por la cólera*
*y una ceniza amenazante*
*cubre su antigua majestad:*
*así pasó desde otros tiempos,*
48 *así salió de la agonía*
*hasta que una mano secreta,*
*unos brazos innumerables,*
*el pueblo, guardó los fragmentos,*
52 *escondió troncos invariables,*
*y sus labios eran las hojas*
*del inmenso árbol repartido,*
*diseminado en todas partes,*
56 *caminando con sus raíces.*
*Éste es el árbol, el árbol*
*del pueblo, de todos los pueblos*
*de la libertad, de la lucha.*

60 *Asómate a su cabellera:*
*toca sus rayos renovados:*
*hunde la mano en las usinas*
*donde su fruto palpitante*
64 *propaga su luz cada día.*
*Levanta esta tierra en tus manos,*
*participa de este esplendor,*
*toma tu pan y tu manzana,*
68 *tu corazón y tu caballo*
*y monta guardia en la frontera,*
*en el límite de sus hojas.*

*Defiende el fin de sus corolas,*
72 *comparte las noches hostiles,*
*vigila el ciclo de la aurora,*
*respira la altura estrellada,*
*sosteniendo el árbol, el árbol*
76 *que crece en medio de la tierra.*

From *Canto general* (1950), Part IV, «Los libertadores». This first poem has no separate title.

## *EDUCACIÓN DEL CACIQUE*

Lautaro era una flecha delgada.
Elástico y azul fue nuestro padre.
Fue su primera edad sólo silencio.
4 Su adolescencia fue dominio.
Su juventud fue un viento dirigido.
Se preparó como una larga lanza.
Acostumbró los pies en las cascadas.
8 Educó la cabeza en las espinas.
Ejecutó las pruebas del guanaco.
Vivió en las madrigueras de la nieve.
Acechó la comida de las águilas.
12 Arañó los secretos del peñasco.
Entretuvo los pétalos del fuego.
Se amamantó de primavera fría.
Se quemó en las gargantas infernales.
16 Fue cazador entre las aves crueles.
Se tiñeron sus mantos de victorias.
Leyó las agresiones de la noche.
Sostuvo los derrumbes del azufre.

20 Se hizo velocidad, luz repentina.

Tomó las lentitudes del Otoño.
Trabajó en las guaridas invisibles.
Durmió en las sábanas del ventisquero.
24 Igualó la conducta de las flechas.
Bebió la sangre agreste en los caminos.
Arrebató el tesoro de las olas.
Se hizo amenaza como un dios sombrío.
28 Comió en cada cocina de su pueblo.
Aprendió el alfabeto del relámpago.
Olfateó las cenizas esparcidas.
Envolvió el corazón con pieles negras.

32 Descifró el espiral hilo del humo.
Se construyó de fibras taciturnas.
Se aceitó como el alma de la oliva.
Se hizo cristal de transparencia dura.

36 Estudió para viento huracanado.
Se combatió hasta apagar la sangre.

Sólo entonces fue digno de su pueblo.

From *Canto general* (1950), Part IV.

## *MANUEL RODRÍGUEZ*

### CUECA

Señora, dicen que donde,
mi madre dicen, dijeron,
el agua y el viento dicen
4 que vieron al guerrillero.

VIDA Puede ser un obispo,
puede y no puede,
puede ser sólo el viento
8 sobre la nieve:
sobre la nieve, sí,
madre, no mires,
que viene galopando
12 Manuel Rodríguez.
Ya viene el guerrillero
por el estero.

### CUECA

PASIÓN Saliendo de Melipilla,
16 corriendo por Talagante,
cruzando por San Fernando,
amaneciendo en Pomaire.

Pasando por Rancagua,
20 por San Rosendo,
por Cauquenes, por Chena,
por Nacimiento:
por Nacimiento, sí,
24 desde Chiñigüe,
por todas partes viene
Manuel Rodríguez.
Pásale este clavel.
28 Vamos con él.

CUECA

Que se apaguen las guitarras,
que la patria está de duelo.
Nuestra tierra se oscurece.
32 Mataron al guerrillero.

Y MUERTE En Til-Til lo mataron
los asesinos,
su espalda está sangrando
36 sobre el camino:
sobre el camino, sí.

Quién lo diría,
él, que era nuestra sangre,
40 nuestra alegría.

La tierra está llorando.
Vamos callando.

From *Canto general* (1950), Part IV.

## *A EMILIANO ZAPATA CON MÚSICA DE TATA NACHO*

Cuando arreciaron los dolores
en la tierra, y los espinares desolados
fueron la herencia de los campesinos,
4 y como antaño, las rapaces
barbas ceremoniales, y los látigos,
entonces, flor y fuego galopado...

*Borrachita me voy*
8 *hacia la capital*

se encabritó en el alba transitoria
la tierra sacudida de cuchillos,
el peón de sus amargas madrigueras
12 cayó como un elote desgranado
sobre la soledad vertiginosa.

*a pedirle al patrón*
*que me mandó llamar*

16 Zapata entonces fue tierra y aurora.
En todo el horizonte aparecía
la multitud de su semilla armada.
En un ataque de aguas y fronteras
20 el férreo manantial de Coahuila,
las estelares piedras de Sonora:
todo vino a su paso adelantado,
a su agraria tormenta de herraduras.

24 *que si se va del rancho*
*muy pronto volverá*

Reparte el pan, la tierra:
te acompaño.
28 Yo renuncio a mis párpados celestes.
Yo, Zapata, me voy con el rocío
de las caballerías matutinas,
en un disparo desde los nopales
32 hasta las casas de pared rosada.

*...cintitas pa tu pelo*
*no llores por tu Pancho...*

La luna duerme sobre las monturas.
36 La muerte amontonada y repartida
yace con los soldados de Zapata.
El sueño esconde bajo los baluartes
de la pesada noche su destino,
40 su incubadora sábana sombría.
La hoguera agrupa el aire desvelado:
grasa, sudor y pólvora nocturna.

*...Borrachita me voy*
44 *para olvidarte...*

Pedimos patria para el humillado.
Tu cuchillo divide el patrimonio
y tiros y corceles amedrentan
48 los castigos, la barba del verdugo.
La tierra se reparte con un rifle.
No esperes, campesino polvoriento,
después de tu sudor la luz completa
52 y el cielo parcelado en tus rodillas.
Levántate y galopa con Zapata.

*...Yo la quise traer*
*dijo que no...*

56 México, huraña agricultura, amada
tierra entre los oscuros repartida:
de las espadas del maíz salieron
al sol tus centuriones sudorosos.
60 De la nieve del Sur vengo a cantarte.
Déjame galopar en tu destino
y llenarme de pólvora y arados.

*...Que si habrá de llorar*
*pa qué volver...*

From *Canto general* (1950), Part IV.

## *LA ANACONDA COPPER MINING Co.*

Nombre enrollado de serpiente,
fauce insaciable, monstruo verde,
en las alturas agrupadas,
4 en la montura enrarecida
de mi país, bajo la luna
de la dureza, excavadora,
abres los cráteres lunarios
8 del mineral, las galerías
del cobre virgen, enfundado
en sus arenas de granito.

Yo he visto arder en la noche eterna
12 de Chuquicamata, en la altura,
el fuego de los sacrificios,
la crepitación desbordante
del cíclope que devoraba
16 la mano, el peso, la cintura
de los chilenos, enrollándolos
bajo sus vértebras de cobre,
vaciándoles la sangre tibia,
20 triturando los esqueletos
y escupiéndolos en los montes
de los desiertos desolados.

El aire suena en las alturas
24 de Chuquicamata estrellada.
Los socavones aniquilan
con manos pequeñitas de hombre
la resistencia del planeta,
28 trepida el ave sulfurosa
de las gargantas, se amotina
el férreo frío del metal
con sus hurañas cicatrices,
32 y cuando aturden las bocinas
la tierra se traga un desfile
de hombres minúsculos que bajan
a las mandíbulas del cráter.
36 Son pequeñitos capitanes,
sobrinos míos, hijos míos,
y cuando vierten los lingotes
hacia los mares, y se limpian
40 la frente y vuelven trepidando
en el último escalofrío,
la gran serpiente se los come,
los disminuye, los tritura,
44 los cubre de baba maligna,
los arroja por los caminos,
los mata con la policía,
los hace pudrir en Pisagua,
48 los encarcela, los escupe,
compra un Presidente traidor
que los insulta y los persigue,
los mata de hambre en las llanuras
52 de la inmensidad arenosa.

Y hay una y otra cruz torcida
en las laderas infernales
como única leña dispersa
56 del árbol de la minería.

From *Canto general* (1950), Part V.

## *LA UNITED FRUIT Co.*

Cuando sonó la trompeta, estuvo
todo preparado en la tierra
y Jehová repartió el mundo

4 a Coca-Cola Inc., Anaconda,
Ford Motors, y otras entidades:
la Compañía Frutera Inc.
se reservó lo más jugoso,
8 la costa central de mi tierra,
la dulce cintura de América.
Bautizó de nuevo sus tierras
como "Repúblicas Bananas",
12 y sobre los muertos dormidos,
sobre los héroes inquietos
que conquistaron la grandeza,
la libertad y las banderas,
16 estableció la ópera bufa:
enajenó los albedríos,
regaló coronas de César,
desenvainó la envidia, atrajo
20 la dictadura de las moscas,
moscas Trujillo, moscas Tachos,
moscas Carías, moscas Martínez,
moscas Ubico, moscas húmedas
24 de sangre humilde y mermelada,
moscas borrachas que zumban
sobre las tumbas populares,
moscas de circo, sabias moscas
28 entendidas en tiranía.

Entre las moscas sanguinarias
la Frutera desembarca,
arrasando el café y las frutas
32 en sus barcos que deslizaron
como bandejas el tesoro
de nuestras tierras sumergidas.

Mientras tanto, por los abismos
36 azucarados de los puertos,
caían indios sepultados
en el vapor de la mañana:
un cuerpo rueda, una cosa
40 sin nombre, un número caído,
un racimo de fruta muerta
derramada en el pudridero.

From *Canto general* (1950), Part V.

## *AMÉRICA, NO INVOCO TU NOMBRE EN VANO*

América, no invoco tu nombre en vano.
Cuando sujeto al corazón la espada,
cuando aguanto en el alma la gotera,
4 cuando por las ventanas
un nuevo día tuyo me penetra,
soy y estoy en la luz que me produce,
vivo en la sombra que me determina,
8 duermo y despierto en tu esencial aurora:
dulce como las uvas, y terrible,
conductor del azúcar y el castigo,
empapado en esperma de tu especie,
12 amamantado en sangre de tu herencia.

From *Canto general* (1950), Part VI; first published in *América* (México), No. 19, July 1943.

## *INUNDACIONES*

Los pobres viven abajo esperando que el río
se levante en la noche y se los lleve al mar.
He visto pequeñas cunas que flotaban, destrozos
4 de viviendas, sillas, y una cólera augusta
de lívidas aguas en que se confunden el cielo y el
terror.
Sólo es para ti, pobre, para tu esposa y tu sembrado,
para tu perro y tus herramientas, para que aprendas
a mendigo.
8 El agua no sube hasta las casas de los caballeros
cuyos nevados cuellos vuelan desde las lavanderías.
Como este fango arrollador y estas ruinas que nadan
con tus muertos vagando dulcemente hacia el mar,
12 entre las pobres mesas y los perdidos árboles
que van de tumbo en tumbo mostrando sus raíces.

From *Canto general* (1950), Part VII.

## *ODA DE INVIERNO AL RÍO MAPOCHO*

Oh, sí, nieve imprecisa,
oh, sí, temblando en plena flor de nieve,
párpado boreal, pequeño rayo helado
4 quién, quién te llamó hacia el ceniciento valle,
quién, quién te arrastró desde el pico del águila
hasta donde tus aguas puras tocan
los terribles harapos de mi patria?
8 Río, por qué conduces
agua fría y secreta,
agua que el alba dura de las piedras
guardó en su catedral inaccesible,
12 hasta los pies heridos de mi pueblo?
Vuelve, vuelve a tu copa de nieve, río amargo,
vuelve, vuelve a tu copa de espaciosas escarchas,
sumerge tu plateada raíz en tu secreto origen
16 o despéñate y rómpete en otro mar sin lágrimas!
Río Mapocho, cuando la noche llega
y como negra estatua echada
duerme bajo tus puentes con un racimo negro
20 de cabezas golpeadas por el frío y el hambre
como por dos inmensas águilas, oh río,
oh duro río parido por la nieve,
por qué no te levantas como inmenso fantasma
24 o como nueva cruz de estrellas para los olvidados?
No, tu brusca ceniza corre ahora
junto al sollozo echado al agua negra,
junto a la manga rota que el viento endurecido
28 hace temblar debajo de las hojas de hierro.
Río Mapocho, adónde llevas
plumas de hielo para siempre heridas,
siempre junto a tu cárdena ribera
32 la flor salvaje nacerá mordida por los piojos
y tu lengua de frío raspará las mejillas
de mi patria desnuda?
Oh, que no sea,
36 oh, que no sea, y que una gota de tu espuma negra
salte del légamo a la flor del fuego
y precipite la semilla del hombre!

From *Canto general* (1950), Part VII; first published in *Revista de las Españas* (Barcelona), Nos. 103-4, July-August 1938.

## *LA TIERRA SE LLAMA JUAN*

Detrás de los libertadores estaba Juan
trabajando, pescando y combatiendo,
en su trabajo de carpintería o en su mina mojada.
4 Sus manos han arado la tierra y han medido
los caminos.
Sus huesos están en todas partes.
Pero vive. Regresó de la tierra. Ha nacido.
8 Ha nacido de nuevo como una planta eterna,
y hoy afirma en la aurora sus labios indomables.
Lo ataron, y es ahora decidido soldado.
Lo hirieron, y mantiene su salud de manzana.
12 Le cortaron las manos, y hoy golpea con ellas.
Lo enterraron, y viene cantando con nosotros.
Juan, es tuya la puerta y el camino.
La tierra
16 es tuya, pueblo, la verdad ha nacido
contigo, de tu sangre.
No pudieron exterminarte. Tus raíces,
árbol de humanidad,
20 árbol de eternidad,
hoy están defendidas con acero,
hoy están defendidas con tu propia grandeza
en la patria soviética, blindada
24 contra las mordeduras del lobo agonizante.

Pueblo, del sufrimiento nació el orden.

Del orden tu bandera de victoria ha nacido.

Levántala con todas las manos que cayeron,
28 defiéndela con todas las manos que se juntan:
y que avance a la lucha final, hacia la estrella
la unidad de tus rostros invencibles.

From *Canto general* (1950), Part VIII.

## *ERA EL OTOÑO DE LAS UVAS*

Era el otoño de las uvas.
Temblaba el parral numeroso.
Los racimos blancos, velados,
4 escarchaban sus dulces dedos,
y las negras uvas llenaban
sus pequeñas ubres repletas
de un secreto río redondo.
8 El dueño de casa, artesano
de magro rostro, me leía
el pálido libro terrestre
de los días crepusculares.
12 Su bondad conocía el fruto,
la rama troncal y el trabajo
de la poda que deja al árbol
su desnuda forma de copa.
16 A los caballos conversaba
como a inmensos niños: seguían
detrás de él los cinco gatos
y los perros de aquella casa,
20 unos enarcados y lentos,
otros corriendo locamente
bajo los fríos durazneros.
Él conocía cada rama,
24 cada cicatriz de los árboles,
y su antigua voz me enseñaba
acariciando a los caballos.

From *Canto general* (1950), Part X.

## *MOLLUSCA GONGORINA*

De California traje un múrex espinoso,
la sílice en sus púas, ataviada con humo
su erizada apostura de rosa congelada,
4 y su interior rosado de paladar ardía
con una suave sombra de corola carnosa.

Mas tuve una cyprea cuyas manchas cayeron
sobre su capa, ornando su terciopelo puro
8 con círculos quemados de pólvora o pantera,

y otra llevó en su lomo liso como una copa
una rama de ríos tatuados en la luna.

Mas la línea espiral, no sostenida
12 sino por aire y mar, oh
escalera, *scalaria* delicada
oh monumento frágil de la aurora
que un anillo con ópalo amasado
16 enrolla deslizando la dulzura.

Saqué del mar, abriendo las arenas,
la ostra erizada de coral sangriento,
*spondylus,* cerrando en sus mitades
20 la luz de su tesoro sumergido,
cofre envuelto en agujas escarlatas,
o nieve con espinas agresoras.

La oliva grácil recogí en la arena,
24 húmeda caminante, pie de púrpura,
alhaja humedecida en cuya forma
la fruta endureció su llamarada,
pulió el cristal su condición marina
28 y ovaló la paloma su desnudo.

La caracola del tritón retuvo
la distancia en la gruta del sonido
y en la estructura de su cal trenzada
32 sostiene el mar con pétalos, su cúpula.

Oh *rostellaria,* flor impenetrable
como un signo elevado en una aguja,
mínima catedral, lanza rosada,
36 espada de la luz, pistilo de agua.

Pero en la altura de la aurora asoma
el hijo de la luz, hecho de luna,
el argonauta que un temblor dirige,
40 que un trémulo contacto de la espuma
amasó, navegando en una ola
con su nave espiral de jazminero.

Y entonces escondida en la marea,
44 boca ondulante de la mar morada,
sus labios de titánica violeta,

la *tridacna* cerró como un castillo,
y allí su rosa colosal devora
48 las azules estirpes que la besan:
monasterio de sal, herencia inmóvil
que encarceló una ola endurecida.

Pero debo nombrar, tocando apenas
52 oh Nautilus, tu alada dinastía,
la redonda ecuación en que navegas
deslizando tu nave nacarada,
tu espiral geometría en que se funden,
56 reloj del mar, el nácar y la línea,
y debo hacia las islas, en el viento,
irme contigo, dios de la estructura.

From *Canto general* (1950), Part XIV.

## *LEVIATHAN*

Arca, paz iracunda, resbalada
noche bestial, antártica extranjera,
no pasarás junto a mí desplazando
4 tu témpano de sombra sin que un día
entre por tus paredes y levante
tu armadura de invierno submarino.

Hacia el Sur crepitó tu fuego negro
8 de expulsado planeta, el territorio
de tu silencio que movió las algas
sacudiendo la edad de la espesura.

Fue sólo forma, magnitud cerrada
12 por un temblor del mundo en que desliza
su majestad de cuero amedrentado
por su propia potencia y su ternura.

Arca de cólera encendida
16 con las antorchas de la nieve negra,
cuando tu sangre ciega fue fundada
la edad del mar dormía en los jardines,
y en su extensión la luna deshacía
20 la cola de su imán fosforescente.
La vida crepitaba

como una hoguera azul, madre medusa,
multiplicada tempestad de ovarios,
24 y todo el crecimiento era pureza,
palpitación de pámpano marino.

Así fue tu gigante arboladura
dispuesta entre las aguas como el paso
28 de la maternidad sobre la sangre,
y tu poder fue noche inmaculada
que resbaló inundando las raíces.
Extravío y terror estremecieron
32 la soledad, y huyó tu continente
más allá de las islas esperadas:
pero el terror pasó sobre los globos
de la luna glacial, y entró en tu carne,
36 agredió soledades que ampararon
tu aterradora lámpara apagada.
La noche fue contigo: te envolvía
adhiriéndote un limo tempestuoso
40 y revolvió tu cola huracanada
el hielo en que dormían las estrellas.

Oh gran herida, manantial caliente
revolviendo sus truenos derrotados
44 en la comarca del arpón, teñido
por el mar de la sangre, desangrada,
dulce y dormida bestia conducida
como un ciclón de rotos hemisferios
48 hasta las barcas negras de la grasa
pobladas por rencor y pestilencia.

Oh gran estatua muerta en los cristales
de la luna polar, llenando el cielo
52 como una nube de terror que llora
y cubre los océanos de sangre.

From *Canto general* (1950), Part XIV.

## *LA FRONTERA (1904)*

Lo primero que vi fueron árboles, barrancas
decoradas con flores de salvaje hermosura,
húmedo territorio, bosques que se incendiaban
4 y el invierno detrás del mundo, desbordado.
Mi infancia son zapatos mojados, troncos rotos

caídos en la selva, devorados por lianas
y escarabajos, dulces días sobre la avena,
8 y la barba dorada de mi padre saliendo
hacia la majestad de los ferrocarriles.

Frente a mi casa el agua austral cavaba
hondas derrotas, ciénagas de arcillas enlutadas,
12 que en el verano eran atmósfera amarilla
por donde las carretas crujían y lloraban
embarazadas con nueve meses de trigo.
Rápido sol del Sur:
16 rastrojos, humaredas
en caminos de tierras escarlatas, riberas
de ríos de redondo linaje, corrales y potreros
en que reverberaba la miel del mediodía.

20 El mundo polvoriento entraba grado a grado
en los galpones, entre barricas y cordeles
a bodegas cargadas con el resumen rojo
del avellano. todos los párpados del bosque.

24 Me pareció ascender en el tórrido traje
del verano, con las máquinas trilladoras,
por las cuestas, en la tierra barnizada de boldos,
erguida entre los robles, indeleble,
28 pegándose en las ruedas como carne aplastada.

Mi infancia recorrió las estaciones: entre
los rieles, los castillos de madera reciente,
la casa sin ciudad, apenas protegida
32 por reses y manzanos de perfume indecible
fui yo, delgado niño cuya pálida forma
se impregnaba de bosques vacíos y bodegas.

From *Canto general* (1950), Part XV.

## *EL AMOR*

El firme amor, España, me diste con tus dones.
Vino a mí la ternura que esperaba
y me acompaña la que lleva el beso
4 más profundo a mi boca.

No pudieron
apartarla de mí las tempestades
ni las distancias agregaron tierra
8 al espacio de amor que conquistamos.

Cuando antes del incendio, entre las mieses
de España apareció tu vestidura,
yo fui doble noción, luz duplicada,
12 y la amargura resbaló en tu rostro
hasta caer sobre piedras perdidas.
De un gran dolor, de arpones erizados
desemboqué en tus aguas, amor mío,
16 como un caballo que galopa en medio
de la ira y la muerte, y lo recibe
de pronto una manzana matutina,
una cascada de temblor silvestre.
20 Desde entonces, amor, te conocieron
los páramos que hicieron mi conducta,
el océano oscuro que me sigue
y los castaños del Otoño inmenso.

24 Quién no te vio, amorosa, dulce mía,
en la lucha, a mi lado, como una
aparición, con todas las señales
de la estrella? Quién, si anduvo
28 entre las multitudes a buscarme,
porque soy grano del granero humano,
no te encontró, apretada a mis raíces,
elevada en el canto de mi sangre?

32 No sé, mi amor, si tendré tiempo y sitio
de escribir otra vez tu sombra fina
extendida en mis páginas, esposa:
son duros estos días y radiantes,
36 y recogemos de ellos la dulzura
amasada con párpados y espinas.
Ya no sé recordar cuándo comienzas:
estabas antes del amor,
40 venías
con todas las esencias del destino,
y antes de ti, la soledad fue tuya,
fue tal vez tu dormida cabellera.
44 Hoy, copa de mi amor, te nombro apenas,
título de mis días, adorada,

y en el espacio ocupas como el día
toda la luz que tiene el universo.

From *Canto general* (1950), Part XV.

## *A MI PARTIDO*

Me has dado la fraternidad hacia el que no conozco.
Me has agregado la fuerza de todos los que viven.
Me has vuelto a dar la patria como en un nacimiento.
4 Me has dado la libertad que no tiene el solitario.
Me enseñaste a encender la bondad, como el fuego.
Me diste la rectitud que necesita el árbol.
Me enseñaste a ver la unidad y la diferencia de los hombres.
8 Me mostraste cómo el dolor de un ser ha muerto en la victoria de todos.
Me enseñaste a dormir en las camas duras de mis hermanos.
Me hiciste construir sobre la realidad como sobre una roca.
Me hiciste adversario del malvado y muro del frenético.
12 Me has hecho ver la claridad del mundo y la posibilidad de la alegría.
Me has hecho indestructible porque contigo no termino en mí mismo.

From *Canto general* (1950), Part XV.

## *LA NOCHE EN LA ISLA*

Toda la noche he dormido contigo
junto al mar, en la isla.
Salvaje y dulce eras entre el placer y el sueño,
4 entre el fuego y el agua.

Tal vez muy tarde
nuestros sueños se unieron
en lo alto o en el fondo,
8 arriba como ramas que un mismo viento mueve,
abajo como rojas raíces que se tocan.

Tal vez tu sueño
se separó del mío
12 y por el mar oscuro
me buscaba
como antes
cuando aún no existías,
16 cuando sin divisarte
navegué por tu lado,
y tus ojos buscaban
lo que ahora
20 —pan, vino, amor y cólera—
te doy a manos llenas
porque tú eres la copa
que esperaba los dones de mi vida.

24 He dormido contigo
toda la noche mientras
la oscura tierra gira
con vivos y con muertos,
28 y al despertar de pronto
en medio de la sombra
mi brazo rodeaba tu cintura.
Ni la noche, ni el sueño
32 pudieron separarnos.

He dormido contigo
y al despertar tu boca
salida de tu sueño
36 me dio el sabor de tierra,
de agua marina, de algas,
del fondo de tu vida,
y recibí tu beso
40 mojado por la aurora
como si me llegara
del mar que nos rodea.

From *Los versos del capitán* (1952).

## *BELLA*

Bella,
como en la piedra fresca
del material, el agua

4 abre un ancho relámpago de espuma,
así es la sonrisa en tu rostro,
bella.

Bella,
8 de finas manos y delgados pies
como un caballito de plata,
andando, flor del mundo,
así te veo,
12 bella.

Bella,
con un nido de cobre enmarañado
en tu cabeza, un nido
16 color de miel sombría
donde mi corazón arde y reposa,
bella.

Bella,
20 no te caben los ojos en la cara,
no te caben los ojos en la tierra.
Hay países, hay ríos,
en tus ojos,
24 mi patria está en tus ojos,
yo camino por ellos,
ellos dan luz al mundo
por donde yo camino,
28 bella.

Bella,
tus senos son como dos panes hechos
de tierra cereal y luna de oro,
32 bella.

Bella,
tu cintura
la hizo mi brazo como un río cuando
36 pasó mil años por tu dulce cuerpo,
bella.

Bella,
no hay nada como tus caderas,
40 tal vez la tierra tiene
en algún sitio oculto

la curva y el aroma de tu cuerpo,
tal vez en algún sitio,
44 bella.

Bella, mi bella,
tu voz, tu piel, tus uñas,
bella, mi bella,
48 tu ser, tu luz, tu sombra,
bella,
todo eso es mío, bella,
todo eso es mío, mía,
52 cuando andas o reposas,
cuando cantas o duermes,
cuando sufres o sueñas,
siempre,
56 cuando estás cerca o lejos,
siempre,
eres mía, mi bella,
siempre.

From *Los versos del capitán* (1952).

## *EL INSECTO*

De tus caderas a tus pies
quiero hacer un largo viaje.

Soy más pequeño que un insecto.

4 Voy por estas colinas,
son de color de avena,
tienen delgadas huellas
que sólo yo conozco,
8 centímetros quemados,
pálidas perspectivas.

Aquí hay una montaña.
No saldré nunca de ella.
12 Oh qué musgo gigante!
Y un cráter, una rosa
de fuego humedecido!

Por tus piernas desciendo
16 hilando una espiral

o durmiendo en el viaje
y llego a tus rodillas
de redonda dureza
20 como a las cimas duras
de un claro continente.

Hacia tus pies resbalo,
a las ocho aberturas
24 de tus dedos agudos,
lentos, peninsulares,
y de ellos al vacío
de la sábana blanca
28 caigo, buscando ciego
y hambriento tu contorno
de vasija quemante!

From *Los versos del capitán* (1952).

## *EL MONTE Y EL RÍO*

En mi patria hay un monte.
En mi patria hay un río.

Ven conmigo.

4 La noche al monte sube.
El hambre baja al río.

Ven conmigo.

Quiénes son los que sufren?
8 No sé, pero son míos.

Ven conmigo.

No sé, pero me llaman
y me dicen "Sufrimos".

12 Ven conmigo.

Y me dicen: "Tu pueblo,
tu pueblo desdichado,
entre el monte y el río,

16 con hambre y con dolores,
no quiere luchar solo,
te está esperando, amigo".

Oh tú, la que yo amo,
20 pequeña, grano rojo
de trigo,

será dura la lucha,
pero vendrás conmigo,
24 la vida será dura.

From *Los versos del capitán* (1952).

## *NO SÓLO EL FUEGO*

Ay sí, recuerdo,
ay tus ojos cerrados
como llenos por dentro de luz negra,
4 todo tu cuerpo como una mano abierta,
como un racimo blanco de la luna,
y el éxtasis,
cuando nos mata un rayo,
8 cuando un puñal nos hiere en las raíces
y nos rompe una luz la cabellera,
y cuando
vamos de nuevo
12 volviendo a la vida,
como si del océano saliéramos,
como si del naufragio
volviéramos heridos
16 entre las piedras y las algas rojas.

Pero
hay otros recuerdos,
no sólo flores del incendio,
20 sino pequeños brotes
que aparecen de pronto
cuando voy en los trenes
o en las calles.

24 Te veo
lavando mis pañuelos,

colgando en la ventana
mis calcetines rotos,
28 tu figura en que todo,
todo el placer como una llamarada
cayó sin destruirte,
de nuevo,
32 mujercita
de cada día,
de nuevo ser humano,
humildemente humano,
36 soberbiamente pobre,
como tienes que ser para que seas
no la rápida rosa
que la ceniza del amor deshace,
40 sino toda la vida,
toda la vida con jabón y agujas,
con el aroma que amo
de la cocina que tal vez no tendremos
44 y en que tu mano entre las papas fritas
y tu boca cantando en invierno
mientras llega el asado
sería para mí la permanencia
48 de la felicidad sobre la tierra.

Ay vida mía,
no sólo el fuego entre nosotros arde,
sino toda la vida,
52 la simple historia,
el simple amor
de una mujer y un hombre
parecidos a todos.

From *Los versos del capitán* (1952).

## *PEQUEÑA AMÉRICA*

Cuando miro la forma
de América en el mapa,
amor, a ti te veo:
4 las alturas del cobre en tu cabeza,
tus pechos, trigo y nieve,
tu cintura delgada,
veloces ríos que palpitan, dulces

8 colinas y praderas
y en el frío del sur tus pies terminan
su geografía de oro duplicado.

Amor, cuando te toco
12 no sólo han recorrido
mis manos tu delicia,
sino ramas y tierra, frutas y agua,
la primavera que amo,
16 la luna del desierto, el pecho
de la paloma salvaje,
la suavidad de las piedras gastadas
por las aguas del mar o de los ríos
20 y la espesura roja
del matorral en donde
la sed y el hambre acechan.
Y así mi patria extensa me recibe,
24 pequeña América, en tu cuerpo.

Aún más, cuando te veo recostada
veo en tu piel, en tu color de avena,
la nacionalidad de mi cariño.
28 Porque desde tus hombros
el cortador de caña
de Cuba abrasadora
me mira, lleno de sudor oscuro,
32 y desde tu garganta
pescadores que tiemblan
en las húmedas casas de la orilla
me cantan su secreto.
36 Y así a lo largo de tu cuerpo,
pequeña América adorada,
las tierras y los pueblos
interrumpen mis besos
40 y tu belleza entonces
no sólo enciende el fuego
que arde sin consumirse entre nosotros,
sino que con tu amor me está llamando
44 y a través de tu vida
me está dando la vida que me falta
y al sabor de tu amor se agrega el barro,
el beso de la tierra que me aguarda.

From *Los versos del capitán* (1952).

## *VUELVE ESPAÑA*

*España, España corazón violeta,*
*me has faltado del pecho, tú me faltas*
*no como falta el sol en la cintura*
4 *sino como la sal en la garganta,*
*como el pan en los dientes, como el odio*
*en la colmena negra, como el día*
*sobre los sobresaltos de la aurora,*
8 *pero no es eso aún, como el tejido*
*del elemento visceral, profundo*
*párpado que no mira y que no cede,*
*terreno mineral, rosa de hueso*
12 *abierta en mi razón como un castillo.*

*A quién puedo llamar sino a tu boca?*

*Tengo otros labios que me representen?*

*Estás abandonada o estoy mudo?*

16 *Qué significa tu callada esfera?*

*Dónde voy sin tu voz, arena madre?*

*Qué soy sin tu fanal crucificado?*

*Dónde estoy sin el agua de tu roca?*

20 *Quién eres tú si no me diste sangre?*

*Oh tormento! Recóbrame, recíbeme*
*antes de que mi nombre y mis espigas*
*desaparezcan en la primavera.*
24 *Porque a tus soledades iracundas*
*va mi destino encadenado, al peso*
*de tu victoria. A ti voy conducido.*

*España, eres más grave que una fecha,*
28 *que una adivinación, que una tormenta,*
*y no importa la torre despiadada*
*de tu perdida voz, sino la dura*
*resistencia, la piedra que sostiene.*

32 *Pero por qué, si soy arena tuya,*
*agua en tus aguas, sangre en tus heridas,*
*hoy me niegas la boca que me llama,*
*tu voz, la construcción de mi existencia?*

36 *Pido a lo que en tu ser es mi sustancia,*
*a tu desgarradura de cuchillos,*
*que se abran hoy, sobre la desventura,*
*las iluminaciones de tu rostro,*
40 *y te levantes, horadando el cielo,*
*rompiendo las tinieblas y los signos,*
*hasta surgir, harina y alborada,*
*luna encendida sobre los osarios.*

44 *Matarás. Mata, España, santa virgen,*
*levántate empuñando la ternura*
*como una ciega rosa desatada*
*sobre las pedrerías infernales.*

48 *Ven a mí, devuélveme la torre*
*que me robaron,*
*devuélveme la lengua*
*y el pueblo que me esperan, asómbrame*
52 *con la unidad final de tu hermosura.*
*Levántate en tu sangre y en tu fuego:*
*la sangre que tú diste, la primera,*
*y el fuego, nido de tu luz sagrada.*

From *Las uvas y el viento* (1954).

## *EL HOMBRE INVISIBLE*

*Yo me río,*
*me sonrío*
*de los viejos poetas,*
4 *yo adoro toda*
*la poesía escrita,*
*todo el rocío,*
*luna, diamante, gota*
8 *de plata sumergida,*
*que fue mi antiguo hermano,*
*agregando a la rosa,*
*pero*

12 *me sonrío,*
*siempre dicen "yo",*
*a cada paso*
*les sucede algo,*
16 *es siempre "yo",*
*por las calles*
*sólo ellos andan*
*o la dulce que aman,*
20 *nadie más,*
*no pasan pescadores,*
*ni libreros,*
*no pasan albañiles,*
24 *nadie se cae*
*de un andamio,*
*nadie sufre,*
*nadie ama,*
28 *sólo mi pobre hermano,*
*el poeta,*
*a él le pasan*
*todas las cosas*
32 *y a su dulce querida,*
*nadie vive*
*sino él solo,*
*nadie llora de hambre*
36 *o de ira,*
*nadie sufre en sus versos*
*porque no puede*
*pagar el alquiler,*
40 *a nadie en poesía*
*echan a la calle*
*con camas y con sillas*
*y en las fábricas*
44 *tampoco pasa nada,*
*no pasa nada,*
*se hacen paraguas, copas,*
*armas, locomotoras,*
48 *se extraen minerales*
*rascando el infierno,*
*hay huelga,*
*vienen soldados,*
52 *disparan,*
*disparan contra el pueblo,*
*es decir,*
*contra la poesía,*

56 *y mi hermano*
*el poeta*
*estaba enamorado,*
*o sufría*
60 *porque sus sentimientos*
*son marinos,*
*ama los puertos*
*remotos, por sus nombres,*
64 *y escribe sobre océanos*
*que no conoce,*
*junto a la vida, repleta*
*como el maíz de granos,*
68 *él pasa sin saber*
*desgranarla,*
*él sube y baja*
*sin tocar la tierra,*
72 *o a veces*
*se siente profundísimo*
*y tenebroso,*
*él es tan grande*
76 *que no cabe en sí mismo,*
*se enreda y desenreda,*
*se declara maldito,*
*lleva con gran dificultad la cruz*
80 *de las tinieblas,*
*piensa que es diferente*
*a todo el mundo,*
*todos los días come pan*
84 *pero no ha vista nunca*
*un panadero*
*ni ha entrado a un sindicato*
*de panificadores,*
88 *y así mi pobre hermano*
*se hace oscuro,*
*se tuerce y se retuerce*
*y se halla*
92 *interesante,*
*interesante,*
*ésta es la palabra,*
*yo no soy superior*
96 *a mi hermano*
*pero sonrío,*
*porque voy por las calles*
*y sólo yo no existo,*

100 *la vida corre*
*como todos los ríos,*
*yo soy el único*
*invisible,*
104 *no hay misteriosas sombras,*
*no hay tinieblas,*
*todo el mundo me habla,*
*me quieren contar cosas,*
108 *me hablan de sus parientes,*
*de sus miserias*
*y de sus alegrías,*
*todos pasan y todos*
112 *me dicen algo,*
*y cuántas cosas hacen!*
*cortan maderas,*
*suben hilos eléctricos,*
116 *amasan hasta tarde en la noche*
*el pan de cada día,*
*con una lanza de hierro*
*perforan las entrañas*
120 *de la tierra*
*y convierten el hierro*
*en cerraduras,*
*suben al cielo y llevan*
124 *cartas, sollozos, besos,*
*en cada puerta*
*hay alguien,*
*nace alguno,*
128 *o me espera la que amo,*
*y yo paso y las cosas*
*me piden que las cante,*
*yo no tengo tiempo,*
132 *debo pensar en todo,*
*debo volver a casa,*
*pasar al Partido,*
*qué puedo hacer,*
136 *todo me pide*
*que hable,*
*todo me pide*
*que cante y cante siempre,*
140 *todo está lleno*
*de sueños y sonidos,*
*la vida es una caja*
*llena de cantos, se abre*

144 *y vuela y viene*
*una bandada*
*de pájaros*
*que quieren contarme algo*
148 *descansando en mis hombres,*
*la vida es una lucha*
*como un río que avanza*
*y los hombres*
152 *quieren decirme,*
*decirte,*
*por qué luchan,*
*si mueren,*
156 *por qué mueren,*
*y yo paso y no tengo*
*tiempo para tantas vidas,*
*yo quiero*
160 *que todos vivan*
*en mi vida*
*y canten en mi canto,*
*yo no tengo importancia,*
164 *no tengo tiempo*
*para mis asuntos,*
*de noche y de día*
*debo anotar lo que pasa,*
168 *y no olvidar a nadie.*
*Es verdad que de pronto*
*me fatigo*
*y miro las estrellas,*
172 *me tiendo en el pasto, pasa*
*un insecto color de violín,*
*pongo el brazo*
*sobre un pequeño seno*
176 *o bajo la cintura*
*de la dulce que amo,*
*y miro el terciopelo*
*duro*
180 *de la noche que tiembla*
*con sus constelaciones congeladas,*
*entonces*
*siento subir a mi alma*
184 *la ola de los misterios,*
*la infancia,*
*el llanto en los rincones,*
*la adolescencia triste,*

188 *y me da sueño,*
*y duermo*
*como un manzano,*
*me quedo dormido*
192 *de inmediato*
*con las estrellas o sin las estrellas,*
*con mi amor o sin ella,*
*y cuando me levanto*
196 *se fue la noche,*
*la calle ha despertado antes que yo,*
*a su trabajo*
*van las muchachas pobres,*
200 *los pescadores vuelven*
*del océano,*
*los mineros*
*van con zapatos nuevos*
204 *entrando en la mina,*
*todo vive,*
*todos pasan,*
*andan apresurados,*
208 *y yo tengo apenas tiempo*
*para vestirme,*
*yo tengo que correr:*
*ninguno puede*
212 *pasar sin que yo sepa*
*adónde va, qué cosa*
*le ha sucedido.*
*No puedo*
216 *sin la vida vivir,*
*sin el hombre ser hombre*
*y corro y veo y oigo*
*y canto,*
220 *las estrellas no tienen*
*nada que ver conmigo,*
*la soledad no tiene*
*flor ni fruto.*
224 *Dadme para mi vida*
*todas las vidas,*
*dadme todo el dolor*
*de todo el mundo,*
228 *yo voy a transformarlo*
*en esperanza.*
*Dadme*
*todas las alegrías,*

232 *aun las más secretas,*
*porque si así no fuera,*
*cómo van a saberse?*
*Yo tengo que contarlas,*
236 *dadme*
*las luchas*
*de cada día*
*porque ellas son mi canto,*
240 *y así andaremos juntos,*
*codo a codo,*
*todos los hombres,*
*mi canto los reúne:*
244 *el canto del hombre invisible*
*que canta con todos los hombres.*

From *Odas elementales* (1954); first published in *Pro Arte* (Santiago) No. 160, 28th November 1952.

## *ODA A LA CEBOLLA*

Cebolla,
luminosa redoma,
pétalo a pétalo
4 se formó tu hermosura,
escamas de cristal te acrecentaron
y en el secreto de la tierra oscura
se redondeó tu vientre de rocío.
8 Bajo la tierra
fue el milagro
y cuando apareció
tu torpe tallo verde,
12 y nacieron
tus hojas como espadas en el huerto,
la tierra acumuló su poderío
mostrando tu desnuda transparencia,
16 y como en Afrodita el mar remoto
duplicó la magnolia
levantando sus senos,
la tierra
20 así te hizo,
cebolla,
clara como un planeta,
y destinada

24 a relucir,
constelación constante,
redonda rosa de agua,
sobre
28 la mesa
de las pobres gentes.

Generosa
deshaces
32 tu globo de frescura
en la consumación
ferviente de la olla,
y el jirón de cristal
36 al calor encendido del aceite
se transforma en rizada pluma de oro.

También recordaré cómo fecunda
tu influencia el amor de la ensalada
40 y parece que el cielo contribuye
dándote fina forma de granizo
a celebrar tu claridad picada
sobre los hemisferios de un tomate.
44 Pero al alcance
de las manos del pueblo,
regada con aceite,
espolvoreada
48 con un poco de sal,
matas el hambre
del jornalero en el duro camino.
Estrella de los pobres,
52 hada madrina
envuelta
en delicado
papel, sales del suelo,
56 eterna, intacta, pura
como semilla de astro,
y al cortarte
el cuchillo en la cocina
60 sube la única lágrima
sin pena.
Nos hiciste llorar sin afligirnos.
Yo cuanto existe celebré, cebolla,
64 pero para mí eres
más hermosa que un ave

de plumas cegadoras,
eres para mis ojos
68 globo celeste, copa de platino,
baile inmóvil
de anémona nevada

y vive la fragancia de la tierra
72 en tu naturaleza cristalina.

From *Odas elementales* (1954).

## *ODA A LA CLARIDAD*

La tempestad dejó
sobre la hierba
hilos de pino, agujas,
4 y el sol en la cola del viento.
Un azul dirigido
llena el mundo.

Oh día pleno,
8 oh fruto
del espacio,
mi cuerpo es una copa
en que la luz y el aire
12 caen como cascadas.
Toco
el agua marina.
Sabor
16 de fuego verde,
de beso ancho y amargo
tienen las nuevas olas
de este día.
20 Tejen su trama de oro
las cigarras
en la altura sonora.
La boca de la vida
24 besa mi boca.
Vivo,
amo
y soy amado.
28 Recibo
en mi ser cuanto existe.

Estoy sentado

en una piedra:
32 en ella
tocan
las aguas y las sílabas
de la selva,
36 la claridad sombría
del manantial que llega
a visitarme.
Toco
40 el tronco de cedro
cuyas arrugas me hablan
del tiempo y de la tierra.
Marcho
44 y voy con los ríos
cantando
con los ríos,
ancho, fresco y aéreo
48 en este nuevo día,
y lo recibo,
siento
cómo
52 entra en mi pecho, mira con mis ojos.

Yo soy,
yo soy el día,
soy
56 la luz.
Por eso
tengo
deberes de mañana,
60 trabajos de mediodía.
Debo
andar
con el viento y el agua,
64 abrir ventanas,
echar abajo puertas,
romper muros,
iluminar rincones.

68 No puedo
quedarme sentado.
Hasta luego.
Mañana

72 nos veremos.
Hoy tengo muchas
batallas que vencer.
Hoy tengo muchas sombras
76 que herir y terminar.
Hoy no puedo
estar contigo, debo
cumplir mi obligación
80 de luz:
ir y venir por las calles,
las casas y los hombres
destruyendo
84 la oscuridad. Yo debo
repartirme
hasta que todo sea día,
hasta que todo sea claridad
88 y alegría en la tierra.

From *Odas elementales* (1954).

## *ODA AL EDIFICIO*

Socavando
en un sitio,
golpeando
4 en una punta,
extendiendo y puliendo
sube la llamarada construida,
la edificada altura
8 que creció para el hombre.

Oh alegría
del equilibrio y de las proporciones.
Oh peso utilizado
12 de huraños materiales,
desarrollo del lodo
a las columnas,
esplendor de abanico
16 en las escalas.
De cuántos sitios
diseminados en la geografía
aquí bajo la luz vino a elevarse
20 la unidad vencedora.

La roca fragmentó su poderío,

se adelgazó el acero, el cobre vino
a mezclar su salud con la madera
24 y ésta, recién llegada de los bosques,
endureció su grávida fragancia.

Cemento, hermano oscuro,
tu pasta los reúne,
28 tu arena derramada
aprieta, enrolla, sube
venciendo piso a piso.
El hombre pequeñito
32 taladra,
sube y baja,
Dónde está el individuo?
Es un martillo, un golpe
36 de acero en el acero,
un punto del sistema
y su razón se suma
al ámbito que crece.
40 Debió dejar caídos
sus pequeños orgullos
y elevar con los hombres una cúpula,
erigir entre todos
44 el orden
y compartir la sencillez metálica
de las inexorables estructuras.
Pero
48 todo sale del hombre.
A su llamado
acuden piedras y se elevan muros,
entra la luz a las salas,
52 el espacio se corta y se reparte.

El hombre
separará la luz de las tinieblas
y así
56 como venció su orgullo vano
e implantó su sistema
para que se elevara el edificio,
seguirá construyendo
60 la rosa colectiva,
reunirá en la tierra
el material huraño de la dicha

y con razón y acero
64 irá creciendo
el edificio de todos los hombres.

From *Odas elementales* (1954).

## *ODA A LA MADERA*

Ay, de cuanto conozco
y reconozco
entre todas las cosas
4 es la madera
mi mejor amiga.
Yo llevo por el mundo
en mi cuerpo, en mi ropa,
8 aroma
de aserradero,
olor de tabla roja.
Mi pecho, mis sentidos
12 se impregnaron
en mi infancia
de árboles que caían
de grandes bosques llenos
16 de construcción futura.
Yo escuché cuando azotan
el gigantesco
alerce,
20 el laurel alto de cuarenta metros.
El hacha y la cintura
del hachero minúsculo
de pronto picotean
24 su columna arrogante,
el hombre vence y cae
la columna de aroma,
tiembla la tierra, un trueno
28 sordo, un sollozo negro
de raíces, y entonces
una ola
de olores forestales
32 inundó mis sentidos.
Fue en mi infancia, fue sobre
la húmeda tierra, lejos
en las selvas del sur,

36 en los fragantes, verdes
archipiélagos,
conmigo
fueron naciendo vigas,
40 durmientes
espesos como el hierro,
tablas
delgadas y sonoras.
44 La sierra rechinaba
cantando
sus amores de acero,
aullaba el hilo agudo,
48 el lamento metálico
de la sierra cortando
el pan del bosque
como madre en el parto,
52 y daba a luz en medio
de la luz
y la selva
desgarrando la entraña
56 de la naturaleza,
pariendo
castillos de madera,
viviendas para el hombre,
60 escuelas, ataúdes,
mesas y mangos de hacha.
Todo
allí en el bosque
64 dormía
bajo las hojas mojadas
cuando
un hombre
68 comienza
torciendo la cintura
y levantando el hacha
a picotear la pura
72 solemnidad del árbol
y éste
cae,
trueno y fragancia caen
76 para que nazca de ellos
la construcción, la forma,
el edificio,
de las manos del hombre.

80 Te conozco, te amo,
te vi nacer, madera.
Por eso
si te toco
84 me respondes
como un cuerpo querido,
me muestras
tus ojos y tus fibras,
88 tus nudos, tus lunares,
tus vetas
como inmóviles ríos.
Yo sé
92 lo que ellos
cantaron
con la voz del viento,
escucho
96 la noche tempestuosa,
el galope
del caballo en la selva,
te toco y te abres
100 como una rosa seca
que sólo para mí resucitara
dándome
el aroma y el fuego
104 que parecían muertos.
Debajo
de la pintura sórdida
adivino tus poros,
108 ahogada me llamas
y te escucho,
siento
sacudirse
112 los árboles
que asombraron mi infancia,
veo
salir de ti,
116 como un vuelo de océano
y palomas,
las alas de los libros,
el papel
120 de mañana
para el hombre,
el papel puro para el hombre puro
que existirá mañana

124 y que hoy está naciendo
con un ruido de sierra,
con un desgarramiento
de luz, sonido y sangre.
128 Es el aserradero
del tiempo,
cae
la selva oscura, oscuro
132 nace
el hombre,
caen las hojas negras
y nos oprime el trueno,
136 hablan al mismo tiempo
la muerte y la vida,
como un violín se eleva
el canto o el lamento
140 de la sierra en el bosque,
y así nace y comienza
a recorrer el mundo
la madera,
144 hasta ser constructora silenciosa
cortada y perforada por el hierro,
hasta sufrir y proteger
construyendo
148 la vivienda
en donde cada día
se encontrarán el hombre, la mujer
y la vida.

From *Odas elementales* (1954); first published in *La Prensa* (Buenos Aires), 21st June 1953.

## *ODA A LA POESÍA*

Cerca de cincuenta años
caminando
contigo, Poesía.
4 Al principio
me enredaba los pies
y caía de bruces
sobre la tierra oscura
8 y enterraba los ojos
en la charca

para ver las estrellas.
Más tarde te ceñiste
12 a mí con los dos brazos de la amante
y subiste
en mi sangre
como una enredadera.
16 Luego
te convertiste en copa.

Hermoso
fue
20 ir derramándote sin consumirte,
ir entregando tu agua inagotable,
ir viendo que una gota
caía sobre un corazón quemado
24 y desde sus cenizas revivía.
Pero
no me bastó tampoco.
Tanto anduve contigo
28 que te perdí el respeto.
Dejé de verte como
náyade vaporosa,
te puse a trabajar de lavandera,
32 a vender pan en las panaderías,
a hilar con las sencillas tejedoras,
a golpear hierros en la metalurgia.
Y seguiste conmigo
36 andando por el mundo,
pero tú ya no eras
la florida
estatua de mi infancia.
40 Hablabas
ahora
con voz férrea.
Tus manos
44 fueron duras como piedras.
Tu corazón
fue un abundante
manantial de campanas,
48 elaboraste pan a manos llenas,
me ayudaste
a no caer de bruces,
me buscaste
52 compañía,

no una mujer,
no un hombre,
sino miles, millones.
56 Juntos, Poesía,
fuimos
al combate, a la huelga,
al desfile, a los puertos,
60 a la mina,
y me reí cuando saliste
con la frente manchada de carbón
o coronada de aserrín fragante
64 de los aserraderos.
Ya no dormíamos en los caminos.
Nos esperaban grupos
de obreros con camisas
68 recién lavadas y banderas rojas.

Y tú, Poesía,
antes tan desdichadamente tímida,
a la cabeza
72 fuiste
y todos
se acostumbraron a tu vestidura
de estrella cuotidiana,
76 porque aunque algún relámpago delató
tu familia
cumpliste tu tarea,
tu paso entre los pasos de los hombres.
Yo te pedí que fueras
80 utilitaria y útil,
como metal o harina,
dispuesta a ser arado,
herramienta,
84 pan y vino,
dispuesta, Poesía,
a luchar cuerpo a cuerpo
y a caer desangrándote.

88 Y ahora,
Poesía,
gracias, esposa,
hermana o madre
92 o novia,
gracias, ola marina,

azahar y bandera,
motor de música,
96 largo pétalo de oro,
campana submarina,
granero
inextinguible,
100 gracias,
tierra de cada uno
de mis días,
vapor celeste y sangre
104 de mis años,
porque me acompañaste
desde la más enrarecida altura
hasta la simple mesa
108 de los pobres,
porque pusiste en mi alma
sabor ferruginoso
y fuego frío,
112 porque me levantaste
hasta la altura insigne
de los hombres comunes,
Poesía,
116 porque contigo
mientras me fui gastando
tú continuaste
desarrollando tu frescura firme,
120 tu ímpetu cristalino,
como si el tiempo
que poco a poco me convierte en tierra
fuera a dejar corriendo eternamente
124 las aguas de mi canto.

From *Odas elementales* (1954); first published in *Letras del Ecuador* (Quito), Nos. 86-89, September-December 1953.

## *ODA AL TRAJE*

Cada mañana esperas,
traje, sobre una silla
que te llene
4 mi vanidad, mi amor,
mi esperanza, mi cuerpo.
Apenas

salgo del sueño,
8 me despido del agua,
entro en tus mangas,
mis piernas buscan
el hueco de tus piernas
12 y así abrazado
por tu fidelidad infatigable
salgo a pisar el pasto,
entro en la poesía,
16 miro por las ventanas,
las cosas,
los hombres, las mujeres,
los hechos y las luchas
20 me van formando,
me van haciendo frente
labrándome las manos,
abriéndome los ojos,
24 gastándome la boca
y así,
traje,
yo también voy formándote,
28 sacándote los codos,
rompiéndote los hilos,
y así tu vida crece
a imagen de mi vida.
32 Al viento
ondulas y resuenas
como si fueras mi alma,
en los malos minutos
36 te adhieres
a mis huesos
vacíos, por la noche
la oscuridad, el sueño
40 pueblan con sus fantasmas
tus alas y las mías.
Yo pregunto
si un día
44 una bala
del enemigo
te dejará una mancha de mi sangre
y entonces
48 te morirás conmigo
o tal vez
no sea todo

tan dramático
52 sino simple,
y te irás enfermando,
traje,
conmigo,
56 envejeciendo
conmigo, con mi cuerpo
y juntos
entraremos
60 a la tierra.
Por eso
cada día
te saludo
64 con reverencia y luego
me abrazas y te olvido,
porque uno solo somos
y seguiremos siendo
68 frente al viento, en la noche,
las calles o la lucha
un solo cuerpo
tal vez, tal vez, alguna vez inmóvil.

From *Odas elementales* (1954).

## *ODA A LOS CALCETINES*

Me trajo Maru Mori
un par
de calcetines
4 que tejió con sus manos
de pastora,
dos calcetines suaves
como liebres.
8 En ellos
metí los pies
como en
dos
12 estuches
tejidos
con hebras del
crepúsculo
16 y pellejo de ovejas.

Violentos calcetines,

mis pies fueron
dos pescados
20 de lana,
dos largos tiburones
de azul ultramarino
atravesados
24 por una trenza de oro,
dos gigantescos mirlos,
dos cañones:
mis pies
28 fueron honrados
de este modo
por
estos
32 celestiales
calcetines.
Eran
tan hermosos
36 que por primera vez
mis pies me parecieron
inaceptables
como dos decrépitos
40 bomberos, bomberos,
indignos
de aquel fuego
bordado,
44 de aquellos luminosos
calcetines.

Sin embargo
resistí
48 la tentación aguda
de guardarlos
como los colegiales
preservan
52 las luciérnagas,
como los eruditos
coleccionan
documentos sagrados,
56 resistí
el impulso furioso
de ponerlos
en una jaula

60 de oro
y darles cada día
alpiste
y pulpa de melón rosado.
64 Como descubridores
que en la selva
entregan el rarísimo
venado verde
68 al asador
y se lo comen
con remordimiento,
estiré
72 los pies
y me enfundé
los
bellos
76 calcetines
y
luego los zapatos.

Y es ésta
80 la moral de mi oda:
dos veces es belleza
la belleza
y lo que es bueno es doblemente
84 bueno
cuando se trata de dos calcetines
de lana
en el invierno.

From *Nuevas odas elementales* (1956).

## *ODA A LA LUZ ENCANTADA*

La luz bajo los árboles,
la luz del alto cielo.
La luz
4 verde
enramada
que fulgura
en la hoja
8 y cae como fresca
arena blanca.

Una cigarra eleva

su son de aserradero
12 sobre la transparencia.

Es una copa llena
de agua
el mundo.

From *Tercer libro de las odas* (1957).

## *PIDO SILENCIO*

*Ahora me dejen tranquilo.*
*Ahora se acostumbren sin mí.*

*Yo voy a cerrar los ojos.*

4 *Y sólo quiero cinco cosas,*
*cinco raíces preferidas.*

*Una es el amor sin fin.*

*Lo segundo es ver el otoño.*
8 *No puedo ser sin que las hojas*
*vuelen y vuelvan a la tierra.*

*Lo tercero es el grave invierno,*
*la lluvia que amé, la caricia*
12 *del fuego en el frío silvestre.*

*En cuarto lugar el verano*
*redondo como una sandía.*

*La quinta cosa son tus ojos,*
16 *Matilde mía, bienamada,*
*no quiero dormir sin tus ojos,*
*no quiero ser sin que me mires:*
*yo cambio la primavera*
20 *por que tú me sigas mirando.*

*Amigos, eso es cuanto quiero.*
*Es casi nada y casi todo.*

*Ahora si quieren se vayan.*

24 *He vivido tanto que un día*
*tendrán que olvidarme por fuerza,*
*borrándome de la pizarra:*
*mi corazón fue interminable.*

28 *Pero porque pido silencio*
*no crean que voy a morirme:*
*me pasa todo lo contrario:*
*sucede que voy a vivirme.*

32 *Sucede que soy y que sigo.*

*No será, pues, sino que adentro*
*de mí crecerán cereales,*
*primero los granos que rompen*
36 *la tierra para ver la luz,*
*pero la madre tierra es oscura:*
*y dentro de mí soy oscuro:*
*soy como un pozo en cuyas aguas*
40 *la noche deja sus estrellas*
*y sigue sola por el campo.*

*Se trata de que tanto he vivido*
*que quiero vivir otro tanto.*

44 *Nunca me sentí tan sonoro,*
*nunca he tenido tantos besos.*

*Ahora, como siempre, es temprano.*
*Vuela la luz con sus abejas.*

48 *Déjenme solo con el día.*
*Pido permiso para nacer.*

From *Estravagario* (1958).

## *Y CUÁNTO VIVE?*

Cuánto vive el hombre, por fin?

Vive mil días o uno solo?

Una semana o varios siglos?

4 Por cuánto tiempo muere el hombre?

Qué quiere decir "Para siempre"?

Preocupado por este asunto
me dediqué a aclarar las cosas.

8 Busqué a los sabios sacerdotes,
los esperé después del rito,
los aceché cuando salían
a visitar a Dios y al Diablo.

12 Se aburrieron con mis preguntas.
Ellos tampoco sabían mucho,
eran sólo administradores.

Los médicos me recibieron,
16 entre una consulta y otra,
con un bisturí en cada mano,
saturados de aureomicina,
más ocupados cada día.
20 Según supe por lo que hablaban
el problema era como sigue:
nunca murió tanto microbio,
toneladas de ellos caían,
24 pero los pocos que quedaron
se manifestaban perversos.

Me dejaron tan asustado
que busqué a los enterradores.
28 Me fui a los ríos donde queman
grandes cadáveres pintados,
pequeños muertos huesudos,
emperadores recubiertos
32 por escamas aterradoras,
mujeres aplastadas de pronto
por una ráfaga de cólera.
Eran riberas de difuntos
36 y especialistas cenicientos.

Cuando llegó mi oportunidad
les largué unas cuantas preguntas,
ellos me ofrecieron quemarme:

40 era todo lo que sabían.

En mi país los enterradores
me contestaron, entre copas:
—"Búscate una moza robusta,
44 y déjate de tonterías".

Nunca vi gentes tan alegres.

Cantaban levantando el vino
por la salud y por la muerte.
48 Eran grandes fornicadores.

Regresé a mi casa más viejo
después de recorrer el mundo.

No le pregunto a nadie nada.

52 Pero sé cada día menos.

From *Estravagario* (1958).

## *FÁBULA DE LA SIRENA Y LOS BORRACHOS*

*Todos estos señores estaban dentro*
*cuando ella entró completamente desnuda*
*ellos habían bebido y comenzaron a escupirla*
4 *ella no entendía nada recién salía del río*
*era una sirena que se había extraviado*
*los insultos corrían sobre su carne lisa*
*la inmundicia cubrió sus pechos de oro*
8 *ella no sabía llorar por eso no lloraba*
*no sabía vestirse por eso no se vestía*
*la tatuaron con cigarrillos y con corchos quemados*
*y reían hasta caer al suelo de la taberna*
12 *ella no hablaba porque no sabía hablar*
*sus ojos eran color de amor distante*
*sus brazos construidos de topacios gemelos*
*sus labios se cortaron en la luz del coral*
16 *y de pronto salió por esa puerta*
*apenas entró al río quedó limpia*
*relució como una piedra blanca en la lluvia*
*y sin mirar atrás nadó de nuevo*
20 *nadó hacia nunca más hacia morir.*

From *Estravagario* (1958).

## *MUCHOS SOMOS*

De tantos hombres que soy, que somos,
no puedo encontrar a ninguno:
se me pierden bajo la ropa,
4 se fueron a otra ciudad.

Cuando todo está preparado
para mostrarme inteligente
el tonto que llevo escondido
8 se toma la palabra en mi boca.

Otras veces me duermo en medio
de la sociedad distinguida
y cuando busco en mí al valiente,
12 un cobarde que no conozco
corre a tomar con mi esqueleto
mil deliciosas precauciones.

Cuando arde una casa estimada
16 en vez del bombero que llamo
se precipita el incendiario
y ése soy yo. No tengo arreglo.
Qué debo hacer para escogerme?
20 Cómo puedo rehabilitarme?

Todos los libros que leo
celebran héroes refulgentes
siempre seguros de sí mismos:
24 me muero de envidia por ellos,
y en los films de vientos y balas
me quedo envidiando al jinete,
me quedo admirando al caballo.

28 Pero cuando pido al intrépido
me sale el viejo perezoso,
y así yo no sé quién soy,
no sé cuántos soy o seremos.
32 Me gustaría tocar un timbre
y sacar el mí verdadero
porque si yo me necesito

no debo desaparecerme.

36 Mientras escribo estoy ausente
y cuando vuelvo ya he partido:
voy a ver si a las otras gentes
les pasa lo que a mí me pasa,
40 si son tantos como soy yo,
si se parecen a sí mismos
y cuando lo haya averiguado
voy a aprender tan bien las cosas
44 que para explicar mis problemas
les hablaré de geografía.

From *Estravagario* (1958).

## *AL PIE DESDE SU NIÑO*

El pie del niño aún no sabe que es pie,
y quiere ser mariposa o manzana.

Pero luego los vidrios y las piedras,
4 las calles, las escaleras,
y los caminos de la tierra dura
van enseñando al pie que no puede volar,
que no puede ser fruto redondo en una rama.
8 El pie del niño entonces
fue derrotado, cayó
en la batalla,
fue prisionero,
12 condenado a vivir en un zapato.

Poco a poco sin luz
fue conociendo el mundo a su manera,
sin conocer el otro pie, encerrado,
16 explorando la vida como un ciego.

Aquellas suaves uñas
de cuarzo, de racimo,
se endurecieron, se mudaron
20 en opaca substancia, en cuerno duro,
y los pequeños pétalos del niño
se aplastaron, se desequilibraron,
tomaron formas de reptil sin ojos,
24 cabezas triangulares de gusano.
Y luego encallecieron,

se cubrieron
con mínimos volcanes de la muerte,
28 inaceptables endurecimientos.

Pero este ciego anduvo
sin tregua, sin parar
hora tras hora,
32 el pie y el otro pie,
ahora de hombre
o de mujer,
arriba,
36 abajo,
por los campos, las minas,
los almacenes y los ministerios,
atrás,
40 afuera, adentro,
adelante,
este pie trabajó con su zapato,
apenas tuvo tiempo
44 de estar desnudo en el amor o el sueño,
caminó, caminaron
hasta que el hombre entero se detuvo.

Y entonces a la tierra
48 bajó y no supo nada,
porque allí todo y todo estaba oscuro,
no supo que había dejado de ser pie,
si lo enterraban para que volara
52 o para que pudiera
ser manzana.

From *Estravagario* (1958).

## *SOBRE MI MALA EDUCACIÓN*

Cuál es el cuál, cuál es el cómo?
Quién sabe cómo conducirse?

Qué naturales son los peces!
4 Nunca parecen inoportunos.
Están en el mar invitados
y se visten correctamente

sin una escama de menos,
8 condecorados por el agua.

Yo todos los días pongo
no sólo los pies en el plato,
sino los codos, los riñones,
12 la lira, el alma, la escopeta.

No sé qué hacer con las manos
y he pensado venir sin ellas,
pero dónde pongo el anillo?
16 Qué pavorosa incertidumbre!

Y luego no conozco a nadie.
No recuerdo sus apellidos.

—Me parece conocer a usted.
20 —No es usted un contrabandista?
—Y usted, señora, no es la amante
del alcohólico poeta
que se paseaba sin cesar,
24 sin rumbo fijo por las cornisas?
—Voló porque tenía alas.
—Y usted continúa terrestre.
—Me gustaría haberla entregado
28 como india viuda a un gran brasero,
no podríamos quemarla ahora?
Resultaría palpitante!

Otra vez en una Embajada
32 me enamoré de una morena,
no quiso desnudarse allí,
y yo se lo increpé con dureza:
estás loca, estatua silvestre,
36 cómo puedes andar vestida?

Me desterraron duramente
de ésa y de otras reuniones,
si por error me aproximaba
40 cerraban ventanas y puertas.

Anduve entonces con gitanos
y con prestidigitadores,
con marineros sin buque,

44 con pescadores sin pescado,
pero todos tenían reglas,
inconcebibles protocolos
y mi educación lamentable
48 me trajo malas consecuencias.

Por eso no voy y no vengo,
no me visto ni ando desnudo,
eché al pozo los tenedores,
52 las cucharas y los cuchillos.
Sólo me sonrío a mí solo,
no hago preguntas indiscretas
y cuando vienen a buscarme,
56 con gran honor, a los banquetes,
mando mi ropa, mis zapatos,
mi camisa con mi sombrero,
pero aun así no se contentan:
60 iba sin corbata mi traje.

Así, para salir de dudas
me decidí a una vida honrada
de la más activa pereza,
64 purifiqué mis intenciones,
salí a comer conmigo solo
y así me fui quedando mudo.
A veces me saqué a bailar,
68 pero sin gran entusiasmo,
y me acuesto solo, sin ganas,
por no equivocarme de cuarto.

Adiós, porque vengo llegando.

72 Buenos días, me voy de prisa.

Cuando quieran verme ya saben:
búsquenme donde no estoy
y si les sobra tiempo y boca
76 pueden hablar con mi retrato.

From *Estravagario* (1958).

## *DÓNDE ESTARÁ LA GUILLERMINA?*

Dónde estará la Guillermina?

Cuando mi hermana la invitó
y yo salí a abrirle la puerta,
4 entró el sol, entraron estrellas,
entraron dos trenzas de trigo
y dos ojos interminables.

Yo tenía catorce años
8 y era orgullosamente oscuro,
delgado, ceñido y fruncido,
funeral y ceremonioso:
yo vivía con las arañas,
12 humedecido por el bosque,
me conocían los coleópteros
y las abejas tricolores,
yo dormía con las perdices
16 sumergido bajo la menta.

Entonces entró la Guillermina
con dos relámpagos azules
que me atravesaron el pelo
20 y me clavaron como espadas
contra los muros del invierno.
Esto sucedió en Temuco.
Allá en el Sur, en la frontera.

24 Han pasado lentos los años
pisando como paquidermos,
ladrando como zorros locos,
han pasado impuros los años
28 crecientes, raídos, mortuorios,
y yo anduve de nube en nube,
de tierra en tierra, de ojo en ojo,
mientras la lluvia en la frontera
32 caía, con el mismo traje.

Mi corazón ha caminado
con intransferibles zapatos,
y he digerido las espinas:
36 no tuve tregua donde estuve:

donde yo pegué me pegaron,
donde me mataron caí
y resucité con frescura,
40 y luego y luego y luego y luego,
es tan largo contar las cosas.

No tengo nada que añadir.

Vine a vivir en este mundo.

44 Dónde estará la Guillermina?

From *Estravagario* (1958).

## *CARTA PARA QUE ME MANDEN MADERA*

Ahora para hacer la casa,
tráiganme maderas del Sur,
tráiganme tablas y tablones,
4 vigas, listones, tejuelas,
quiero ver llegar el perfume,
quiero que suenen descargando
el sonido del Sur que traen.

8 Cómo puedo vivir tan lejos
de lo que amé, de lo que amo?
De las estaciones envueltas
por vapor y por humo frío?
12 Aunque murió hace tantos años
por allí debe andar mi padre
con el poncho lleno de gotas
y la barba color de cuero.

16 La barba color de cebada
que recorría los ramales,
el corazón del aguacero,
y que alguien se mida conmigo
20 a tener padre tan errante,
a tener padre tan llovido:
su tren iba desesperado
entre las piedras de Carahue,
24 por los rieles de Colli-Pulli,
en las lluvias de Puerto Varas.
Mientras yo acechaba perdices
o coleópteros violentos,

28 buscaba el color del relámpago,
buscaba un aroma indeleble,
flor arbitraria o miel salvaje,
mi padre no perdía el tiempo:
32 sobre el invierno establecía
el sol de sus ferrocarriles.

Yo perdí la lluvia y el viento
y qué he ganado, me pregunto?
36 Porque perdí la sombra verde
a veces me ahogo y me muero:
es mi alma que no está contenta
y busca bajo mis zapatos
40 cosas gastadas o perdidas.
Tal vez aquella tierra triste
se mueve en mí como un navío:
pero yo cambié de planeta.

44 La lluvia ya no me conoce.

Y ahora para las paredes,
para las ventanas y el suelo,
para el techo, para las sábanas,
48 para los platos y la mesa
tráiganme maderas oscuras
secretas como la montaña,
tablas claras y tablas rojas,
52 alerce, avellano, mañío,
laurel, raulí y ulmo fragante,
todo lo que fue creciendo
secretamente en la espesura,
56 lo que fue creciendo conmigo:
tienen mi edad esas maderas,
tuvimos las mismas raíces.

Cuando se abra la puerta y entren
60 los fragmentos de la montaña
voy a respirar y tocar
lo que yo tal vez sigo siendo:
madera de los bosques fríos,
64 madera dura de Temuco,
y luego veré que el perfume
irá construyendo mi casa,
se levantarán las paredes

68 con los susurros que perdí,
con lo que pasaba en la selva,
y estaré contento de estar
rodeado por tanta pureza,
72 por tanto silencio que vuelve
a conversar con mi silencio.

From *Estravagario* (1958).

## *BESTIARIO*

Si yo pudiera hablar con pájaros,
con ostras y con lagartijas,
con los zorros de Selva Oscura,
4 con los ejemplares pingüinos,
si me entendieran las ovejas,
los lánguidos perros lanudos,
los caballos de carretela,
8 si discutiera con los gatos,
si me escucharan las gallinas!

Nunca se me ha ocurrido hablar
con animales elegantes:
12 no tengo curiosidad
por la opinión de las avispas
ni de las yeguas de carrera:
que se las arreglen volando,
16 que ganen vestidos corriendo!
Yo quiero hablar con las moscas,
con la perra recién parida
y conversar con las serpientes.

20 Cuando tuve pies para andar
en noches triples, ya pasadas,
seguí a los perros nocturnos,
esos escuálidos viajeros
24 que trotan viajando en silencio
con gran prisa a ninguna parte
y los seguí por muchas horas:
ellos desconfiaban de mí,
28 ay, pobres perros insensatos,
perdieron la oportunidad
de narrar sus melancolías,

de correr con pena y con cola
32 por las calles de los fantasmas.

Siempre tuve curiosidad
por el erótico conejo:
quiénes lo incitan y susurran
36 en sus genitales orejas?
Él va sin cesar procreando
y no hace caso a San Francisco,
no oye ninguna tontería:
40 el conejo monta y remonta
con organismo inagotable.
Yo quiero hablar con el conejo,
amo sus costumbres traviesas.

44 Las arañas están gastadas
por páginas bobaliconas
de simplistas exasperantes
que las ven con ojos de mosca,
48 que la describen devoradora,
carnal, infiel, sexual, lasciva.
Para mí esta reputación
retrata a los reputadores:
52 la araña es una ingeniera,
una divina relojera,
por una mosca más o menos
que la detesten los idiotas,
56 yo quiero conversar con la araña:
quiero que me teja una estrella.

Me interesan tanto las pulgas
que me dejo picar por horas,
60 son perfectas, antiguas, sánscritas,
son máquinas inapelables.
No pican para comer,
sólo pican para saltar,
64 son las saltarinas del orbe,
las delicadas, las acróbatas
del circo más suave y profundo:
que galopen sobre mi piel,
68 que divulguen sus emociones,
que se entretengan con mi sangre,
pero que alguien me las presente,
quiero conocerlas de cerca,
72 quiero saber a qué atenerme.

Con los rumiantes no he podido
intimar en forma profunda:
sin embargo soy un rumiante,
76 no comprendo que no me entiendan.
Tengo que tratar este tema
pastando con vacas y bueyes,
planificando con los toros.
80 De alguna manera sabré
tantas cosas intestinales
que están escondidas adentro
como pasiones clandestinas.

84 Qué piensa el cerdo de la aurora?
No cantan pero la sostienen
con sus grandes cuerpos rosados,
con sus pequeñas patas duras.

88 Los cerdos sostienen la aurora.

Los pájaros se comen la noche.

Y en la mañana está desierto
el mundo: duermen las arañas,
92 los hombres, los perros, el viento:
los cerdos gruñen, y amanece.

Quiero conversar con los cerdos.

Dulces, sonoras, roncas ranas,
96 siempre quise ser rana un día,
siempre amé la charca, las hojas
delgadas como filamentos,
el mundo verde de los berros
100 con las ranas dueñas del cielo.

La serenata de la rana
sube en mi sueño y lo estimula,
sube como una enredadera
104 a los balcones de mi infancia,
a los pezones de mi prima,
a los jazmines astronómicos
de la negra noche del Sur,
108 y ahora que ha pasado el tiempo
no me pregunten por el cielo:

pienso que no he aprendido aún
el ronco idioma de las ranas.

112 Si es así, cómo soy poeta?
Qué sé yo de la geografía
multiplicada de la noche?

En este mundo que corre y calla
116 quiero más comunicaciones,
otros lenguajes, otros signos,
quiero conocer este mundo.

Todos se han quedado contentos
120 con presentaciones siniestras
de rápidos capitalistas
y sistemáticas mujeres.
Yo quiero hablar con muchas cosas
124 y no me iré de este planeta
sin saber qué vine a buscar,
sin averiguar este asunto,
y no me bastan las personas,
128 yo tengo que ir mucho más lejos
y tengo que ir mucho más cerca.

Por eso, señores, me voy
a conversar con un caballo,
132 que me excuse la poetisa
y que el profesor me perdone,
tengo la semana ocupada,
tengo que oír a borbotones.
136 Cómo se llamaba aquel gato?

From *Estravagario* (1958).

## *CIEN SONETOS DE AMOR*
(A selection)

### *XII*

Plena mujer, manzana carnal, luna caliente,
espeso aroma de algas, lodo y luz machacados,
qué oscura claridad se abre entre tus columnas?
4 Qué antigua noche el hombre toca con sus sentidos?

8 Ay, amar es un viaje con agua y con estrellas,
con aire ahogado y bruscas tempestades de harina:
amar es un combate de relámpagos
y dos cuerpos por una sola miel derrotados.

Beso a beso recorro tu pequeño infinito,
tus márgenes, tus ríos, tus pueblos diminutos,
y el fuego genital transformado en delicia

12 corre por los delgados caminos de la sangre
hasta precipitarse como un clavel nocturno,
hasta ser y no ser sino un rayo en la sombra.

*XLVI*

De las estrellas que admiré, mojadas
por ríos y rocíos diferentes,
yo no escogí sino la que yo amaba
4 y desde entonces duermo con la noche.

De la ola, una ola y otra ola,
verde mar, verde frío, rama verde,
yo no escogí sino una sola ola:
8 la ola indivisible de tu cuerpo.

Todas las gotas, todas las raíces,
todos los hilos de la luz vinieron,
me vinieron a ver tarde o temprano.

12 Yo quise para mí tu cabellera.
Y de todos los dones de mi patria
sólo escogí tu corazón salvaje.

*LXVII*

La gran lluvia del Sur cae sobre Isla Negra
como una sola gota transparente y pesada,
el mar abre sus hojas frías y la recibe,
4 la tierra aprende el húmedo destino de una copa.

Alma mía, dame en tu beso el agua
salobre de estos meses, la miel del territorio,
la fragancia mojada por mil labios del cielo,
8 la paciencia sagrada del mar en el invierno.

Algo nos llama, todas las puertas se abren solas,
relata el agua un largo rumor a las ventanas,
crece el cielo hacia abajo tocando las raíces,

12 y así teje y desteje su red celeste el día
con tiempo, sal, susurros, crecimientos, caminos,
una mujer, un hombre, y el invierno en la tierra.

## *XCIV*

Si muero sobrevíveme con tanta fuerza pura
que despiertes la furia del pálido y del frío,
de sur a sur levanta tus ojos indelebles,
4 de sol a sol que suene tu boca de guitarra.

No quiero que vacilen tu risa ni tus pasos,
no quiero que se muera mi herencia de alegría,
no llames a mi pecho, estoy ausente.
8 Vive en mi ausencia como en una casa.

Es una casa tan grande la ausencia
que pasarás en ella a través de los muros
y colgarás los cuadros en el aire.

12 Es una casa tan transparente la ausencia
que yo sin vida te veré vivir
y si sufres, mi amor, me moriré otra vez.

From *Cien sonetos de amor* (1959).

## *LA GESTA*

Si el hondo mar callaba sus dolores
las esperanzas levantó la tierra:
éstas desembarcaron en la costa:
4 eran brazos y puños de pelea:

Fidel Castro con quince de los suyos
y con la libertad bajó a la arena.
La isla estaba oscura como el luto,
8 pero izaron la luz como bandera,
no tenían más armas que la aurora
y ésta dormía aun bajo la tierra:
entonces comenzaron en silencio
12 la lucha y el camino hacia la estrella.
Fatigados y ardientes caminaban
por honor y deber hacia la guerra
no tenían más armas que su sangre:
16 iban desnudos como si nacieran.
Y así nació la libertad de Cuba,
de aquel puñado de hombres en la arena.
Luego la dignidad de los desnudos
20 los vistió con la ropa de la sierra,
los nutrió con el pan desconocido,
los armó con la pólvora secreta,
con ellos despertaron los dormidos,
24 dejaron su sepulcro las ofensas,
las madres despidieron a sus hijos,
el campesino relató su pena
y el ejército puro de los pobres
28 creció y creció como la luna llena:
no le quitó soldados el combate:
creció el cañaveral en la tormenta:
el enemigo le dejó sus armas
32 abandonadas en las carreteras:
los verdugos temblaban y caían,
desmantelados por la primavera,
con un disparo que condecoraba
36 con la muerte, por fin, sus camisetas,
mientras que el movimiento de los libres
movía, como el viento, las praderas,
sacudía los surcos de la isla,
40 surgía sobre el mar como un planeta.

From *Canción de gesta* (1960).

## *CASA*

Tal vez ésta es la casa en que viví
cuando yo no existí ni había tierra,
cuando todo era luna o piedra o sombra,
4 cuando la luz inmóvil no nacía.
Tal vez entonces esta piedra era
mi casa, mis ventanas o mis ojos.
Me recuerda esta rosa de granito
8 algo que me habitaba o que habité,
cueva o cabeza cósmica de sueños,
copa o castillo o nave o nacimiento.
Toco el tenaz esfuerzo de la roca,
12 su baluarte golpeado en la salmuera,
y sé que aquí quedaron grietas mías,
arrugadas sustancias que subieron
desde profundidades hasta mi alma,
16 y piedra fui, piedra seré, por eso
toco esta piedra y para mí no ha muerto:
es lo que fui, lo que seré, reposo
de un combate tan largo como el tiempo.

From *Las piedras de Chile* (1961).

## *DEBER DEL POETA*

*A quien no escucha el mar en este viernes*
*por la mañana, a quien adentro de algo,*
*casa, oficina, fábrica o mujer,*
4 *o calle o mina o seco calabozo:*
*a éste yo acudo y sin hablar ni ver*
*llego y abro la puerta del encierro*
*y un sin fin se oye vago en la insistencia,*
8 *un largo trueno roto se encadena*
*al peso del planeta y de la espuma,*
*surgen los ríos roncos del océano,*
*vibra veloz en su rosal la estrella*
12 *y el mar palpita, muere y continúa.*

*Así por el destino conducido*
*debo sin tregua oír y conservar*
*el lamento marino en mi conciencia,*

16 *debo sentir el golpe de agua dura*
*y recogerlo en una taza eterna*
*para que donde esté el encarcelado,*
*donde sufra el castigo del otoño*
20 *yo esté presente con una ola errante,*
*yo circule a través de las ventanas*
*y al oírme levante la mirada*
*diciendo: cómo me acercaré al océano?*
24 *Y yo transmitiré sin decir nada*
*los ecos estrellados de la ola,*
*un quebranto de espuma y arenales,*
*un susurro de sal que se retira,*
28 *el grito gris del ave de la costa.*

*Y así, por mí, la libertad y el mar*
*responderán al corazón oscuro.*

From *Plenos poderes* (1962).

## *LA PALABRA*

Nació
la palabra en la sangre,
creció en el cuerpo oscuro, palpitando,
4 y voló con los labios y la boca.

Más lejos y más cerca
aún, aún venía
de padres muertos y de errantes razas,
8 de territorios que se hicieron piedra,
que se cansaron de sus pobres tribus,
porque cuando el dolor salió al camino
los pueblos anduvieron y llegaron
12 y nueva tierra y agua reunieron
para sembrar de nuevo su palabra.
Y así la herencia es ésta:
éste es el aire que nos comunica
16 con el hombre enterrado y con la aurora
de nuevos seres que aún no amanecieron.

Aún la atmósfera tiembla
con la primera palabra
20 elaborada

con pánico y gemido.
Salió
de las tinieblas
24 y hasta ahora no hay trueno
que truene aún con su ferretería
como aquella palabra,
la primera
28 palabra pronunciada:
tal vez sólo un susurro fue, una gota,
y cae y cae aún su catarata.

Luego el sentido llena la palabra.
32 Quedó preñada y se llenó de vidas.
Todo fue nacimientos y sonidos:
la afirmación, la claridad, la fuerza,
la negación, la destrucción, la muerte:
36 el verbo asumió todos los poderes
y se fundió existencia con esencia
en la electricidad de su hermosura.

Palabra humana, sílaba, cadera
40 de larga luz y dura platería,
hereditaria copa que recibe
las comunicaciones de la sangre:
he aquí que el silencio fue integrado
44 por el total de la palabra humana
y no hablar es morir entre los seres:
se hace lenguaje hasta la cabellera,
habla la boca sin mover los labios:
48 los ojos de repente son palabras.

Yo tomo la palabra y la recorro
como si fuera sólo forma humana,
me embelesan sus líneas y navego
52 en cada resonancia del idioma:
pronuncio y soy y sin hablar me acerca
al fin de las palabras al silencio.

Bebo por la palabra levantando
56 una palabra o copa cristalina,
en ella bebo
el vino del idioma
o el agua interminable,
60 manantial maternal de las palabras,

y copa y agua y vino
originan mi canto
porque el verbo es origen
64 y vierte vida: es sangre,
es la sangre que expresa su substancia
y está dispuesto así su desarrollo:
dan cristal al cristal, sangre a la sangre,
68 y dan vida a la vida las palabras.

From *Plenos poderes* (1962).

## *EN LA TORRE*

En esta grave torre
no hay combate:
la niebla, el aire, el día
4 la rodearon, se fueron
y me quedé con cielo y con papel,
solitarias dulzuras y deberes.
Pura torre de tierra
8 con odio y mar lejanos
removida
por la ola del cielo:
en la línea, en la palabra cuántas
12 sílabas? He dicho?

Bella es la incertidumbre del rocío,
en la mañana cae
separando
16 la noche de la aurora
y su glacial regalo
permanece
indeciso, esperando el duro sol
20 que lo herirá de muerte.
No se sabe
si cerramos los ojos o la noche
abre en nosotros ojos estrellados,
24 si cava en la pared de nuestro sueño
hasta que abre una puerta.
Pero el sueño
es el veloz vestido de un minuto:
28 se gastó en un latido
de la sombra

y cayó a nuestros pies, deshabitado,
cuando se mueve el día y nos navega.

32 Ésta es la torre desde donde veo
entre la luz y el agua sigilosa
al tiempo con su espada
y me apresuro entonces a vivir,
36 respiro todo el aire,
me enajena el desierto
que se construye sobre la ciudad
y hablo conmigo sin saber con quién
40 deshojando el silencio
de la altura.

From *Plenos poderes* (1962).

## *LOS NACIMIENTOS*

Nunca recordaremos haber muerto.

Tanta paciencia
para ser tuvimos
4 anotando
los números, los días,
los años y los meses,
los cabellos, las bocas que besamos,
8 y aquel minuto de morir
lo dejaremos sin anotación:
se lo damos a otros de recuerdo
o simplemente al agua,
12 al agua, al aire, al tiempo.
Ni de nacer tampoco
guardamos la memoria,
aunque importante y fresco fue ir naciendo:
16 y ahora no recuerdas un detalle,
no has guardado ni un ramo
de la primera luz.

Se sabe que nacemos.

20 Se sabe que en la sala
o en el bosque
o en el tugurio del barrio pesquero

o en los cañaverales crepitantes
24 hay un silencio enteramente extraño,
un minuto solemne de madera
y una mujer se dispone a parir.

Se sabe que nacimos.

28 Pero de la profunda sacudida
de no ser a existir, a tener manos,
a ver, a tener ojos,
a comer y llorar y derramarse
32 y amar y amar y sufrir y sufrir,
de aquella transición o escalofrío
del contenido eléctrico que asume
un cuerpo más como una copa viva,
36 y de aquella mujer deshabitada,
la madre que allí queda con su sangre
y su desgarradora plenitud
y su fin y comienzo, y el desorden
40 que turba el pulso, el suelo, las frazadas,
hasta que todo se recoge y suma
un nudo más el hilo de la vida,
nada, no quedó nada en tu memoria
44 del mar bravío que elevó una ola
y derribó del árbol una manzana oscura.

No tienes más recuerdo que tu vida.

From *Plenos poderes* (1962).

## *REGRESÓ EL CAMINANTE*

*En plena calle me pregunto, dónde*
*está la ciudad? Se fue, no ha vuelto.*
*Tal vez ésta es la misma, y tiene casas,*
4 *tiene paredes, pero no la encuentro.*
*No se trata de Pedro ni de Juan,*
*ni de aquella mujer, ni de aquel árbol,*
*ya la ciudad aquella se enterró,*
8 *se metió en un recinto subterráneo*
*y otra hora vive, otra y no la misma,*
*ocupando la línea de las calles,*

*y un idéntico número en las casas.*

12 *El tiempo entonces, lo comprendo, existe,*
*existe, ya lo sé, pero no entiendo*
*cómo aquella ciudad que tuvo sangre,*
*que tuvo tanto cielo para todos,*
16 *y de cuya sonrisa a mediodía*
*se desprendía un cesto de ciruelas,*
*de aquellas casas con olor a bosque*
*recién cortado al alba con la sierra,*
20 *que seguía cantando junto al agua*
*de los aserraderos montañosos,*
*todo lo que era suyo y era mío,*
*de la ciudad y de la transparencia,*
24 *se envolvió en el amor como un secreto*
*y se dejó caer en el olvido.*

*Ahora donde estuvo hay otras vidas,*
*otra razón de ser y otra dureza:*
28 *todo está bien, pero por qué no existe?*
*Por qué razón aquel aroma duerme?*

*Por qué aquellas campanas se callaron*
*y dijo adiós la torre de madera?*

32 *Tal vez en mí cayó casa por casa*
*la ciudad, con bodegas destruidas*
*por la lenta humedad, por el transcurso,*
*en mí cayó el azul de la farmacia,*
36 *el trigo acumulado, la herradura*
*que colgó de la talabartería,*
*y en mí cayeron seres que buscaban*
*como en un pozo el agua oscura.*

40 *Entonces yo a qué vengo, a qué he venido.*
*Aquella que yo amé entre las ciruelas*
*en el violento estío, aquella clara*
*como un hacha brillando con la luna,*
44 *la de ojos que mordían*
*como ácido el metal del desamparo,*
*ella se fue, se fue sin que se fuese,*
*sin cambiarse de casa ni frontera,*
48 *se fue en sí misma, se cayó en el tiempo*
*hacia atrás, y no cayó en los míos*
*cuando abría, tal vez, aquellos brazos*

*que apretaron mi cuerpo, y me llamaba*
52 *a lo largo, tal vez, de tantos años,*
*mientras yo en otra esquina del planeta*
*en mi distante edad me sumergía.*

*Acudiré a mí mismo para entrar,*
56 *para volver a la ciudad perdida.*
*En mí debo encontrar a los ausentes,*
*aquel olor de la maderería,*
*sigue creciendo sólo en mí tal vez*
60 *el trigo que temblaba en la ladera*
*y en mí debo viajar buscando aquella*
*que se llevó la lluvia, y no hay remedio,*
*de otra manera nada vivirá,*
64 *debo cuidar yo mismo aquellas calles*
*y de alguna manera decidir*
*dónde plantar los árboles, de nuevo.*

From *Plenos poderes* (1962).

## *NACIMIENTO*

Nació un hombre
entre muchos
que nacieron,
4 viví entre muchos hombres
que vivieron,
y esto no tiene historia
sino tierra,
8 tierra central de Chile, donde
las viñas encresparon sus cabelleras verdes,
la uva se alimenta de la luz
el vino nace de los pies del pueblo.

12 Parral se llama el sitio
del que nació
en invierno.

Ya no existen
16 la casa ni la calle:
soltó la cordillera
sus caballos,
se acumuló
20 el profundo

poderío,
brincaron las montañas
y cayó el pueblo
24 envuelto
en terremoto.
Y así muros de adobe,
retratos en los muros,
28 muebles desvencijados
en las salas oscuras,
silencio entrecortado por las moscas,
todo volvió
32 a ser polvo:
sólo algunos guardamos
forma y sangre,
sólo algunos, y el vino.

36 Siguió el vino viviendo,
subiendo hasta las uvas
desgranadas
por el otoño
40 errante,
bajó a lagares sordos,
a barricas
que se tiñeron con su suave sangre,
44 y allí bajo el espanto
de la tierra terrible
siguió desnudo y vivo.

Yo no tengo memoria
48 del paisaje ni tiempo,
ni rostro, ni figuras,
sólo polvo impalpable,
la cola del verano
52 y el cementerio en donde
me llevaron
a ver entre las tumbas
el sueño de mi madre.
56 Y como nunca vi
su cara
la llamé entre los muertos, para verla,
pero como los otros enterrados,
60 no sabe, no oye, no contestó nada,
y allí se quedó sola, sin su hijo,
huraña y evasiva

entre las sombras.
64 Y de allí soy, de aquel
Parral de tierra temblorosa,
tierra cargada de uvas
que nacieron
68 desde mi madre muerta.

From *Memorial de Isla Negra* (1964), Part I; first published in *El Siglo* (Santiago), 2nd June 1963.

## *LA MAMADRE*

La mamadre viene por ahí,
con zuecos de madera. Anoche
sopló el viento del polo, se rompieron
4 los tejados, se cayeron
los muros y los puentes,
aulló la noche entera con sus pumas,
y ahora, en la mañana
8 de sol helado, llega
mi mamadre, doña
Trinidad Marverde,
dulce como la tímida frescura
12 del sol en las regiones tempestuosas,
lamparita
menuda y apagándose,
encendiéndose
16 para que todos vean el camino.

Oh dulce mamadre
—nunca pude
decir madrastra—,
20 ahora
mi boca tiembla para definirte,
porque apenas
abrí el entendimiento
24 vi la bondad vestida de pobre trapo oscuro,
la santidad más útil:
la del agua y la harina,
y eso fuiste: la vida te hizo pan
28 y allí te consumimos,
invierno largo a invierno desolado
con las goteras dentro

de la casa
32 y tu humildad ubicua
desgranando
el áspero
cereal de la pobreza
36 como si hubieras ido
repartiendo
un río de diamantes.

Ay mamá, cómo pude
40 vivir sin recordarte
cada minuto mío?
No es posible. Yo llevo
tu Marverde en mi sangre,
44 el apellido
del pan que se reparte,
de aquellas
dulces manos
48 que cortaron del saco de la harina
los calzoncillos de mi infancia,
de la que cocinó, planchó, lavó,
sembró, calmó la fiebre,
52 y cuando todo estuvo hecho,
y ya podía
yo sostenerme con los pies seguros,
se fue, cumplida, oscura,
56 al pequeño ataúd
donde por vez primera estuvo ociosa
bajo la dura lluvia de Temuco.

From *Memorial de Isla Negra* (1964), Part I; first published in *El Siglo* (Santiago), 2nd June 1963.

## *LA CONDICIÓN HUMANA*

Detrás de mí hacia el Sur, el mar había
roto los territorios con su glacial martillo,
desde la soledad arañada el silencio
4 se convirtió de pronto en archipiélago,
y verdes islas fueron ciñendo la cintura
de mi patria
como polen o pétalos de una rosa marina
8 y, aún más, eran profundos los bosques encendidos
por luciérnagas, el lodo era fosforescente,

dejaban caer los árboles largos cordeles secos
como en un circo, y la luz iba de gota en gota
12 como la bailarina verde de la espesura.

Yo crecí estimulado por razas silenciosas,
por penetrantes hachas de fulgor maderero,
por fragancias secretas de tierra, ubres y vino:
16 mi alma fue una bodega perdida entre los trenes
en donde se olvidaron durmientes y barricas,
alambre, avena, trigo, cochayuyo, tablones,
y el invierno con sus negras mercaderías.

20 Así mi cuerpo fue extendiéndose, de noche
mis brazos eran nieve,
mis pies el territorio huracanado,
y crecí como un río al aguacero,
24 y fui fértil con todo
lo que caía en mí, germinaciones,
cantos entre hoja y hoja, escarabajos
que procreaban, nuevas
28 raíces que ascendieron
al rocío,
tormentas que aún sacuden
las torres del laurel, el racimo escarlata
32 del avellano, la paciencia
sagrada del alerce,
y así mi adolescencia
fue territorio, tuve
36 islas, silencio, monte, crecimiento,
luz volcánica, barro de caminos,
humo salvaje de palos quemados.

From *Memorial de Isla Negra* (1964), Part I.

## *LA INJUSTICIA*

Quien descubre el quién soy descubrirá el quién eres.
Y el cómo, y el adónde.
Toqué de pronto toda la injusticia.
4 El hambre no era sólo hambre,
sino la medida del hombre.
El frío, el viento, eran también medidas.
Midió cien hambres y cayó el erguido.

8 A los cien fríos fue enterrado Pedro.
Un solo viento duró la pobre casa.
Y aprendí que el centímetro y el gramo,
la cuchara y la legua medían la codicia,
12 y que el hombre asediado se caía de pronto
a un agujero, y ya no más sabía.
No más, y ése era el sitio,
el real regalo, el don, la luz, la vida,
16 eso era, padecer de frío y hambre,
y no tener zapatos y temblar
frente al juez, frente a otro,
a otro ser con espada o con tintero,
20 y así a empellones, cavando y cortando,
cosiendo, haciendo pan, sembrando trigo,
pegándole a cada clavo que pedía madera,
metiéndose en la tierra como en un intestino
24 para sacar, a ciegas, el carbón crepitante
y, aún más, subiendo ríos y cordilleras,
cabalgando caballos, moviendo embarcaciones,
cociendo tejas, soplando vidrios, lavando ropa,
28 de tal manera que parecería
todo esto el reino recién levantado,
uva resplandeciente del racimo,
cuando el hombre se decidió a ser feliz,
32 y no era, no era así. Fui descubriendo
la ley de la desdicha,
el trono de oro sangriento,
la libertad celestina,
36 la patria sin abrigo,
el corazón herido y fatigado,
y un rumor de muertos sin lágrimas,
secos, como piedras que caen.
40 Y entonces dejé de ser niño
porque comprendí que a mi pueblo
no le permitieron la vida
y le negaron sepultura.

From *Memorial de Isla Negra* (1964), Part I; first published in *El Siglo* (Santiago), 2nd June 1963.

## *1 9 2 1*

La canción de la fiesta... Octubre,
premio
de la primavera:
4 un Pierrot de voz ancha que desata
mi poesía sobre la locura
y yo, delgado filo
de espada negra entre jazmín y máscaras
8 andando aún ceñidamente solo,
cortando multitud con la melancolía
del viento Sur, bajo los cascabeles
y el desarrollo de las serpentinas.
12 Y luego, uno por uno,
línea a línea en la casa y en la calle
germina el nuevo libro,
20 poemas de sabor salado
16 como veinte olas de mujer y mar,
y entre el viaje de vuelta a la provincia
con el gran río de Puerto Saavedra
y el pavoroso golpe del océano
20 entre una soledad y un beso apenas
arrancado al amor: hoja por hoja
como si un árbol lento despertara
nació el pequeño libro tempestuoso.
24 Y nunca al escribirlo
en trenes o al regreso
de la fiesta o la furia de los celos
o de la noche abierta en el costado
28 del verano como una herida espléndida,
atravesado por la luz del cielo
y el corazón cubierto de rocío,
nunca supuso el solitario joven,
32 desbocado de amor, que su cadena,
la prisión sin salida de unos ojos,
de una piel devorante, de una boca,
seguiría quemando todo aquello
36 y aquella intimidad y soledad
continuaría abriendo en otros seres
una rosa perpetua, un largo beso,
un fuego interminable de amapolas.

From *Memorial de Isla Negra* (1964), Part II.

## *AMORES: ROSAURA (II)*

Nos dio el amor la única importancia.
La virtud física, el latido
que nace y se propaga,
4 la continuidad
del cuerpo
con la dicha,
y esa fracción de muerte
8 que nos iluminó hasta oscurecernos.
Para mí, para ti,
se abrió aquel goce
como la única
12 rosa
en los sordos arrabales,
en plena juventud raída,
cuando ya todo conspiró
16 para irnos matando poco a poco,
porque entre instituciones orinadas
por la prostitución y los engaños
no sabías qué hacer:
20 éramos el amor atolondrado
y la debilidad de la pureza:
todo estaba gastado por el humo,
por el gas negro,
24 por la enemistad
de los palacios y de los tranvías.

Un siglo entero deshojaba
su esplendor muerto,
28 su follaje
de cabezas degolladas,
goterones de sangre
caen de las cornisas,
32 no es la lluvia, no sirven
los paraguas,
se moría el tiempo
y ninguna y ninguno
36 se encontraron
cuando ya desde el trono los reinantes
habían decretado
la ley letal del hambre
40 y había que morir,

todo el mundo tenía que morir,
era una obligación,
un compromiso,
44 estaba escrito así:
entonces encontramos
en la rosa física
el fuego palpitante
48 y nos usamos
hasta el dolor:
hiriéndonos
vivíamos:
52 allí se confrontó la vida
con su esencia compacta:
el hombre, la mujer
y la invención del fuego.

56 Nos escapamos de la maldición
que pesaba
sobre el vacío, sobre la ciudad,
amor contra exterminio
60 y la verdad
robada
otra vez floreciendo,
mientras en la gran cruz
64 clavaban el amor,
lo prohibían,
nadie yo, nadie tú,
nadie nosotros,
68 nos defendimos brasa a brasa,
beso a beso.

Salen hojas recientes,
se pintan de azul las puertas,
72 hay una nube náyade,
suena un violín bajo el agua:
es así en todas partes:
es el amor victorioso.

From *Memorial de Isla Negra* (1964), Part II

## *TAL VEZ CAMBIÉ DESDE ENTONCES*

A mi patria llegué con otros ojos
que la guerra me puso
debajo de los míos.
4 Otros ojos quemados
en la hoguera,
salpicados
por llanto mío y sangre de los otros,
8 y comencé a mirar y a ver más bajo,
más al fondo inclemente
de las asociaciones. La verdad
que antes no despegaba de su cielo
12 como una estrella fue,
se convirtió en campana,
oí que me llamaba
y que se congregaban otros hombres
16 al llamado. De pronto
las banderas de América,
amarillas, azules, plateadas,
con sol, estrella y amaranto y oro
20 dejaron a mi vista
territorios desnudos,
pobres gentes de campos y caminos,
labriegos asustados, indios muertos,
24 a caballo, mirando ya sin ojos,
y luego el boquerón infernal de las minas
con el carbón, el cobre y el hombre devastados,
pero eso no era todo
28 en las repúblicas,
sino algo sin piedad, sin amasijo:
arriba un galopante, un frío soberbio
con todas sus medallas,
32 manchado en los martirios
o bien los caballeros en el Club
con vaivén discursivo entre las alas
de la vida dichosa
36 mientras el pobre ángel oscuro,
el pobre remendado,
de piedra en piedra andaba y anda aún
descalzo y con tan poco qué comer
40 que nadie sabe cómo sobrevive.

From *Memorial de Isla Negra* (1964), Part III.

## *EL MAR*

Necesito del mar porque me enseña:
no sé si aprendo música o conciencia:
no sé si es ola sola o ser profundo
4 o sólo ronca voz o deslumbrante
suposición de peces y navíos.
El hecho es que hasta cuando estoy dormido
de algún modo magnético circulo
8 en la universidad del oleaje.

No son sólo las conchas trituradas
como si algún planeta tembloroso
participara paulatina muerte,
12 no, del fragmento reconstruyo el día,
de una racha de sal la estalactita
y de una cucharada el dios inmenso.

Lo que antes me enseñó lo guardo! Es aire,
16 incesante viento, agua y arena.

Parece poco para el hombre joven
que aquí llegó a vivir con sus incendios,
y sin embargo el pulso que subía
20 y bajaba a su abismo,
el frío del azul que crepitaba,
el desmoronamiento de la estrella,
el tierno desplegarse de la ola
24 despilfarrando nieve con la espuma,
el poder quieto, allí, determinado
como un trono de piedra en lo profundo,
substituyó el recinto en que crecían
28 tristeza terca, amontonando olvido,
y cambió bruscamente mi existencia:
di mi adhesión al puro movimiento.

From *Memorial de Isla Negra* (1964), Part III.

## *MAREAS*

Crecí empapado en aguas naturales
como el molusco en fósforo marino:
en mí repercutía la sal rota
4 y mi propio esqueleto construía.
Cómo explicar, casi sin movimiento
de la respiración azul y amarga,
una a una las olas repitieron
8 lo que yo presentía y palpitaba
hasta que sal y zumo me formaron:
el desdén y el deseo de una ola,
el ritmo verde que en lo más oculto
12 levantó un edificio transparente,
aquel secreto se mantuvo y luego
sentí que yo latía como aquello:
que mi canto crecía con el agua.

From *Memorial de Isla Negra* (1964), Part III.

## *EL CAZADOR EN EL BOSQUE*

*Al bosque mío entro con raíces,*
*con mi fecundidad: De dónde*
*vienes?, me pregunta*
4 *una hoja verde y ancha como un mapa.*
*Yo no respondo. Allí*
*es húmedo el terreno*
*y mis botas se clavan, buscan algo,*
8 *golpean para que abran,*
*pero la tierra calla.*

*Callará hasta que yo comience a ser*
*substancia muerta y viva, enredadera,*
12 *feroz tronco del árbol erizado*
*o copa temblorosa.*

*Calla la tierra para que no sepan*
*sus nombres diferentes, ni su extendido idioma,*
16 *calla porque trabaja*
*recibiendo y naciendo:*
*cuanto muere recoge*

*como una anciana hambrienta:*
20 *todo se pudre en ella,*
*hasta la sombra,*
*el rayo,*
*los duros esqueletos,*
24 *el agua, la ceniza,*
*todo se une al rocío,*
*a la negra llovizna*
*de la selva.*

28 *El mismo sol se pudre*
*y el oro interrumpido*
*que le arroja*
*cae en el saco de la selva y pronto*
32 *se fundió en la amalgama, se hizo harina,*
*y su contribución resplandeciente*
*se oxidó como un arma abandonada.*

*Vengo a buscar raíces,*
36 *las que hallaron*
*el alimento mineral del bosque,*
*la substancia*
*tenaz, el cinc sombrío,*
40 *el cobre venenoso.*

*Esa raíz debe nutrir mi sangre.*

*Otra encrespada, abajo,*
*es parte poderosa*
44 *del silencio,*
*se impone como paso de reptil:*
*avanza devorando,*
*toca el agua, la bebe,*
48 *y sube por el árbol*
*la orden secreta:*
*sombrío es el trabajo*
*para que las estrellas sean verdes.*

From *Memorial de Isla Negra* (1964), Part IV.

## *LO QUE NACE CONMIGO*

Canto a la hierba que nace conmigo
en este instante libre, a los fermentos
del queso, del vinagre, a la secreta
4 floración del primer semen, canto
al canto de la leche que ahora cae
de blancura en blancura a los pezones,
canto a los crecimientos del establo,
8 al fresco estiércol de las grandes vacas
de cuya aroma vuelan muchedumbres
de alas azules, hablo
sin transición de lo que ahora sucede
12 al abejorro con su miel, al liquen
con sus germinaciones silenciosas:
como un tambor eterno
suenan las sucesiones, el transcurso
16 de ser a ser, y nazco, nazco, nazco
con lo que está naciendo, estoy unido
al crecimiento, al sordo alrededor
de cuanto me rodea, pululando,
20 propagándose en densas humedades,
en estambres, en tigres, en jaleas.

Yo pertenezco a la fecundidad
y creceré mientras crecen las vidas:
24 soy joven con la juventud del agua,
soy lento con la lentitud del tiempo,
soy puro con la pureza del aire,
oscuro con el vino de la noche
28 y sólo estaré inmóvil cuando sea
tan mineral que no vea ni escuche,
ni participe en lo que nace y crece.

Cuando escogí la selva
32 para aprender a ser,
hoja por hoja,
extendí mis lecciones
y aprendí a ser raíz, barro profundo,
36 tierra callada, noche cristalina,
y poco a poco más, toda la selva.

From *Memorial de Isla Negra* (1964), Part IV.

## *LA MEMORIA*

*Tengo que acordarme de todo,*
*recoger las briznas, los hilos*
*del acontecer harapiento*
4 *y metro a metro las moradas,*
*los largos caminos del tren,*
*la superficie del dolor.*

*Si se me extravía un rosal*
8 *y confundo noche con liebre*
*o bien se me desmoronó*
*todo un muro de la memoria*
*tengo que hacer de nuevo el aire,*
12 *el vapor, la tierra, las hojas,*
*el pelo y también los ladrillos,*
*las espinas que me clavaron,*
*la velocidad de la fuga.*

16 *Tengan piedad para el poeta.*

*Siempre olvidé con avidez*
*y en aquellas manos que tuve*
*sólo cabían inasibles*
20 *cosas que no se tocaban,*
*que se podían comparar*
*sólo cuando ya no existían.*

*Era el humo como un aroma,*
24 *era el aroma como el humo,*
*la piel de un cuerpo que dormía*
*y que despertó con mis besos,*
*pero no me pidan la fecha*
28 *ni el nombre de lo que soñé,*
*ni puedo medir el camino*
*que tal vez no tiene país*
*o aquella verdad que cambió*
32 *que tal vez se apagó de día*
*y fue luego luz errante*
*como en la noche una luciérnaga.*

From *Memorial de Isla Negra* (1964), Part V.

## *MIGRACIÓN*

Todo el día una línea y otra línea,
un escuadrón de plumas,
un navío
4 palpitaba en el aire,
atravesaba
el pequeño infinito
de la ventana desde donde busco,
8 interrogo, trabajo, acecho, aguardo.

La torre de la arena
y el espacio marino
se unen allí, resuelven
12 el canto, el movimiento.

Encima se abre el cielo.

Entonces así fue: rectas, agudas,
palpitantes, pasaron
16 hacia dónde? Hacia el norte, hacia el oeste,
hacia la claridad,
hacia la estrella,
hacia el peñón de soledad y sal
20 donde el mar desbarata sus relojes.

Era un ángulo de aves
dirigidas
aquella latitud de hierro y nieve
24 que avanzaba
sin tregua
en su camino rectilíneo:
era la devorante rectitud
28 de una flecha evidente,
los números del cielo que viajaban
a procrear formados
por imperioso amor y geometría.

32 Yo me empeñé en mirar hasta perder
los ojos y no he visto
sino el orden del vuelo,

la multitud del ala contra el viento:
36 vi la serenidad multiplicada
por aquel hemisferio transparente
cruzado por la oscura decisión
de aquellas aves en el firmamento.

40 No vi sino el camino.

Todo siguió celeste.

Pero en la muchedumbre de las aves
rectas a su destino
44 una bandada y otra dibujaban
victorias
triangulares
unidas por la voz de un solo vuelo,
48 por la unidad del fuego,
por la sangre,
por la sed, por el hambre,
por el frío,
52 por el precario día que lloraba
antes de ser tragado por la noche,
por la erótica urgencia de la vida:
la unidad de los pájaros
56 volaba
hacia las desdentadas costas negras,
peñascos muertos, islas amarillas,
donde el sol dura más que su jornada
60 y en el cálido mar se desarrolla
el pabellón plural de las sardinas.

En la piedra asaltada
por los pájaros
64 se adelantó el secreto:
piedra, humedad, estiércol, soledad,
fermentarán y bajo el sol sangriento
nacerán arenosas criaturas
68 que alguna vez regresarán volando
hacia la huracanada luz del frío,
hacia los pies antárticos de Chile.

Ahora cruzan, pueblan la distancia
72 moviendo apenas en la luz las alas
como si en un latido las unieran,

vuelan sin desprenderse

del cuerpo

76 migratorio

que en tierra se divide
y se dispersa.

Sobre el agua, en el aire,
80 el ave innumerable va volando,
la embarcación es una,
la nave transparente
construye la unidad con tantas alas,
84 con tantos ojos hacia el mar abiertos
que es una sola paz la que atraviesa
y sólo un ala inmensa se desplaza.

Ave del mar, espuma migratoria,
88 ala del sur, del norte, ala de ola,
racimo desplegado por el vuelo,
multiplicado corazón hambriento,
llegarás, ave grande, a desgranar
92 el collar de los huevos delicados
que empolla el viento y nutren las arenas
hasta que un nuevo vuelo multiplica
otra vez vida, muerte, desarrollo,
96 gritos mojados, caluroso estiércol,
y otra vez a nacer, a partir, lejos
del páramo y hacia otro páramo.

Lejos
100 de aquel silencio, huid, aves del frío,
hacia un vasto silencio rocalloso
y desde el nido hasta el errante número,
flechas del mar, dejadme
104 la húmeda gloria del transcurso,
la permanencia insigne de las plumas
que nacen, mueren, duran y palpitan
creando pez a pez su larga espada,
108 crueldad contra crueldad la propia luz
y a contraviento y contramar, la vida.

From *Arte de pájaros* (1966).

*EL TONTIVUELO*

*(Autoritarius Miliformis)*

El tontipájaro sentado
sentía que no lo sabía,
que no volaba y no volaba,
4 pero dio órdenes de vuelo
y fue explicando ala por ala
lo que pasaría en la atmósfera:
dictaminó sobre las plumas,
8 reveló el cielo y sus corrientes.

Nació sentado el tontipájaro.

Creció sentado y nunca tuvo
este triste pájaro implume
12 alas ni canto ni volar.

Pero dictaba el dictador.

Dictaba el aire, la esperanza,
las sumas de ir y venir.

16 Y si se trataba de arriba
él era nacido en la altura,
él indicaba los caminos,
él subiría alguna vez,
20 pero ahora números van
números vienen, conveniencias,
es mejor no volar ahora:
"Vuelen ustedes mientras tanto".
24 El tontipájaro feroz
se sienta sobre sus colmillos
y acecha el vuelo de los otros:
"Aquí no vuela ni una abeja
28 sin los decretos que estipulo".

Y así vuela pero no vuela
desde su silla el tontipájaro.

From *Arte de pájaros* (1966)

## *FULGOR Y MUERTE DE JOAQUÍN MURIETA*

[the close of the play]

CORO CANTADO

(*Acompañado de órgano.*)

La luz ilumina la noche de la desventura.
Y ya no es oscura la noche ni el alma del hombre es oscura.
Así, de la impura venganza, nació la segura esperanza.
4 Y si nuestra desdicha fue inmensa, más tarde tuvimos defensa.

No tendremos temor ni terror. No será derrotado el honor.
Serán respetados por fin el color de la piel y el idioma español.
Por fin encontraron castigo los Galgos en su propia casa.

*Sigue el órgano en sordina, mientras la voz del poeta dice.*

VOZ DEL POETA

8 Murieta violento y rebelde, regresa en mi canto al metal y a las minas de Chile.
Ya su juramento termina entre tanta venganza cumplida.
La patria olvidó aquel espanto y su pobre cabeza cortada y caída,
es sólo la sombra del sueño distante y errante que fue su romántica vida.

12 No es mío el reproche por su cabalgata de fuego y espanto.
Quién puede juzgar su quebranto: fue un hombre valiente y perdido.
Y para estas almas no existe un camino elegido:
El fuego lo lleva en sus dientes, los quema, los alza, los vuelve a su nido.
16 Y se sostuvieron volando en la llama: su fuego los ha consumido.

Regresa y descansa y galopa en el aire hacia el sur
su caballo escarlata.
Los ríos natales le cantan con boca de plata. Y le
canta también el poeta.
Fue amargo y violento el destino de Joaquín Murieta.
Desde este minuto
20 el Pueblo repite como una campana enterrada, mi
larga cantata de luto.

CORO CANTADO

*Retoma el himno anterior in crescendo, hasta el máximo.*

Oh, tú, Justiciero que nos amparaste, recibe las gracias de tus compañeros!
Alabado sea, que sea alabado tu nombre, Murieta!

From the closing scene of *Fulgor y muerte de Joaquín Murieta* (1967), as given in the definitive version in *Obras Completas* (1968).

## *LAS CAMPANAS DE RUSIA*

Andando, moviendo los pies sobre un ancho silencio
de nieve
escúchame ahora, amor mío, un suceso sin rumbo:
estaba desierta la estepa y el frío exhibía sus duras
alhajas,
4 la piel del planeta brillaba cubriendo la espalda desnuda de Rusia
y yo en el crepúsculo inmenso entre los esqueletos
de los abedules,
andando, sintiendo el espacio, pesando el latido de
las soledades.

Entonces salió del silencio la voz de la noche terrestre,
8 una voz, otra voz, o el total de las voces del mundo:
era bajo y profundo el estímulo, era inmenso el
metal de la sombra,
era lento el caudal de la voz misteriosa del cielo,
y subía en la altura redonda aquel golpe de piedra
celeste
12 y bajaba aquel río de plata sombría cayendo en la
sombra

y es así como yo, caminante, escuché las campanas
de Rusia
desatar entre el cielo y la sombra el profundo es-
tupor de su canto.

Campanas, campanas del orbe infinito, distantes
16 en la gravedad del invierno que oscila clavado en
el Polo
como un estandarte azotado por esta blancura fu-
riosa,
campanas de guerra cantando con ronco ademán en
el aire
los hechos, la sangre, la amarga derrota, las casas
quemadas,
20 y luego la luz coronada por las victoriosas banderas.

Yo dije a la racha, a la nieve, al destello, a mí mismo, a las calles de barro con nieve:
la guerra se fue, se llevó nuestro amor y los huesos
quemados
cubrieron la tierra como una cosecha de atroces semillas
24 y oí las campanas remotas tañendo en la luz sumergida
como en un espejo, como en una ciudad sepultada
en un lago
y así el campanario furioso guardó en su tremendo
tañido,
si no la venganza, el recuerdo de todos los héroes
ausentes.

28 De cada campana caía el follaje del trueno y del
canto
y aquel movimiento de hierro sonoro volaba a la luz
de la luna nevada,
barría los bosques amargos que en un batallón de
esqueletos
erguían las lanzas inmóviles del escalofrío
32 y sobre la noche pasó la campana arrastrando como
una cascada
raíces y rezos, entierros y novias, soldados y santos,
abejas y lágrimas, cosechas, incendios y recién nacidos.

Desde la cabeza del zar y su solitaria corona forjada
en la niebla
36 por medioevales herreros, a fuego y a sangre,
voló una esmeralda sangrienta desde el campanario
y como el ganado en la lluvia el vapor y el olor de
los siervos rezando en la iglesia,
acompañó a la corona de oro en el vuelo de la campanada terrible.

40 Ahora a través de estas roncas campanas divisa el
relámpago:
la revolución encendiendo el rocío enlutado de los
abedules:
la flor estalló estableciendo una gran muchedumbre
de pétalos rojos
y sobre la estepa dormida cruzó un regimiento de
rayos.
44 Oigamos la aurora que sube como una amapola
y el canto común de las nuevas campanas que anuncian el sol de noviembre.

Yo soy, compañera, el errante poeta que canta la
fiesta del mundo,
el pan en la mesa, la escuela florida, el honor de la
miel, el sonido del viento silvestre,
48 celebro en mi canto la casa del hombre y su esposa,
deseo
la felicidad crepitante en el centro de todas las vidas
y cuanto acontece recojo como una campana y devuelvo a la vida
el grito y el canto de los campanarios de la primavera.

52 A veces perdona si la campanada que cae de mi
alma nocturna
golpea con manos de sombra las puertas del día
amarillo,
pero en las campanas hay tiempo y hay canto sellado
que espera soltar sus palomas
para desplegar la alegría como un abanico mundial
y sonoro.

56 Campanas de ayer y mañana, profundas corolas del
sueño del hombre,

campanas de la tempestad y del fuego, campanas del odio y la guerra,
campanas del trigo y de las reuniones rurales al borde del río,
campanas nupciales, campanas de paz en la tierra:
60 lloremos campanas, bailemos campanas, cantemos campanas,
por la eternidad del amor, por el sol y la luna y el mar y la tierra y el hombre.

From *La barcarola* (1967).

## *LAS MANOS NEGATIVAS*

Cuando me vio ninguno
cortando tallos, aventando el trigo?
Quién soy, si no hice nada?
4 Cualquiera, hijo de Juan,
tocó el terreno
y dejó caer algo
que entró como la llave
8 entra en la cerradura
y la tierra se abrió de par en par.

Yo no, no tuve tiempo
ni enseñanza:
12 guardé las manos limpias
del cadáver urbano,
me despreció la grasa de las ruedas,
el barro inseparable de las costumbres claras
16 se fue a habitar sin mí las provincias silvestres:
la agricultura nunca se ocupó de mis libros
y sin tener que hacer, perdido en las bodegas
reconcentré mis pobres preocupaciones
20 hasta que no viví sino en las despedidas.

Adiós dije al aceite, sin conocer la oliva,
y al tonel, un milagro de la naturaleza,
dije también adiós porque no comprendía
24 cómo se hicieron tantas cosas sobre la tierra
sin el consentimiento de mis manos inútiles.

From *Las manos del día* (1968).

## *EL HIJO DE LA LUNA*

Todo está aquí viviendo,
haciendo,
haciéndose
sin participación de mi paciencia
y cuando colocaron estos rieles,
hace cien años,
yo no toqué este frío:
no levantó mi corazón mojado
por las lluvias del cielo de Cautín
un solo movimiento
que ayudara
a extender los caminos
de la velocidad que iba naciendo.

Ni luego puse un dedo
en la carrera
del público espacial que mis amigos
lanzaron hacia Aldebarán suntuoso.

Y de los organismos egoístas
que sólo oyeron, vieron
y siguieron
yo sufrí humillaciones que no cuento
para que nadie siga sollozando
con mis versos que ya no tienen llanto
sino energía que gasté en el viento,
en el polvo, en la piedra del camino.

Y porque anduve tanto sin quebrar
los minerales ni cortar madera
siento que no me pertenece el mundo:
que es de los que clavaron y cortaron
y levantaron estos edificios
porque si la argamasa, que nació
y duró sosteniendo los designios,
la hicieron otras manos,
sucias de barro y sangre,
yo no tengo derecho a proclamar
mi existencia: fui un hijo de la luna.

From *Las manos del día* (1968).

## *LA MANO CENTRAL*

Tocar la acción, vivir la transparencia
del cristal en el fuego,
circular en el bronce
4 hasta cantar por boca de campana,
olorosa alegría
de la tabla que gime
como un violín
8 en el aserradero,
polvo del pan
que viaja
desde una rumorosa
12 conversación de espigas
hasta la máquina
de los panaderos,
tocar la desventura
16 del carbón
en su muerta catarata
sometido al latido
de las excavaciones
20 hasta quebrarse, huir,
aliarse y revivir
en el acero
tomando la unidad
24 de la pureza, la paloma ovalada
del nuevo movimiento,
acción,
acción de sangre,
28 circulación del fuego,
circuito de las manos,
rosa de la energía.

From *Las manos del dia* (1968).

## *1968*

La hora de Praga me cayó
como una piedra en la cabeza,
era inestable mi destino,
4 un momento de oscuridad
como el de un túnel en un viaje

y ahora a fuerza de entender
no llegar a comprender nada:
8 cuando debíamos cantar
hay que golpear en un sarcófago
y lo terrible es que te oigan
y que te invite el ataúd.

12 Por qué entre tantas alegrías
que se construyeron sangrando
sobre la nieve salpicada
por las heridas de los muertos
16 y cuando ya el sol olvidó
las cicatrices de la nieve
llega el miedo y abre la puerta
para que regrese el silencio?

20 Yo reclamo a la edad que viene
que juzgue mi padecimiento,
la compañía que mantuve
a pesar de tantos errores.
24 Sufrí, sufrimos sin mostrar,
sin mostrar sino la esperanza.

Sufrimos de no defender
la flor que se nos amputaba
28 para salvar el árbol rojo
que necesita crecimiento.

Fue fácil para el adversario
echar vinagre por la grieta
32 y no fue fácil definir
y fue más difícil callar.
Pido perdón para este ciego
que veía y que no veía.

36 Se cierran las puertas del siglo
sobre los mismos insepultos
y otra vez llamarán en vano
y nos iremos sin oír,
40 pensando en el árbol más grande,
en los espacios de la dicha.

No tiene remedio el que sufre
para matar el sufrimiento.

From *Fin de mundo* (1969).

## *ARTES POÉTICAS (I)*

Como poeta carpintero
busco primero la madera
áspera o lisa, predispuesta:
4 con las manos toco el olor,
huelo el color, paso los dedos
por la integridad olorosa,
por el silencio del sistema,
8 hasta que me duermo o transmigro
o me desnudo y me sumerjo
en la salud de la madera:
en sus circunvalaciones.

12 Lo segundo que hago es cortar
con sierra de chisporroteo
la tabla recién elegida:
de la tabla salen los versos
16 como astillas emancipadas,
fragantes, fuertes y distantes
para que ahora mi poema
tenga piso, casco, carena,
20 se levante junto al camino,
sea habitado por el mar.

Como poeta panadero
preparo el fuego, la harina,
24 la levadura, el corazón,
y me complico hasta los codos
amasando la luz del horno,
el agua verde del idioma,
28 para que el pan que me sucede
se venda en la panadería.

Yo soy y no sé si lo sepan
tal vez herrero por destino
32 o por lo menos propicié
para todos y para mí
metalúrgica poesía.

En tal abierto patrocinio
36 no tuve adhesiones ardientes:

fui ferretero solitario.

Rebuscando herraduras rotas
me trasladé con mis escombros
40 a otra región sin habitantes,
esclarecida por el viento.
Allí encontré nuevos metales
que fui convirtiendo en palabras.

44 Comprendo que mis experiencias
de metafísico manual
no sirvan a la poesía,
pero yo me dejé las uñas
48 arremetiendo a mis trabajos
y ésas son las pobres recetas
que aprendí con mis propias manos:
si se prueba que son inútiles
52 para ejercer la poesía
estoy de inmediato de acuerdo:
me sonrío para el futuro
y me retiro de antemano.

From *Fin de mundo* (1969).

## *ARTES POÉTICAS (II)*

No he descubierto nada yo,
ya todo estaba descubierto
cuando pasé por este mundo.
4 Si regreso por estos lados
le pido a los descubridores
que me guarden alguna cosa,
un volcán que no tenga nombre
8 un madrigal desconocido,
la raíz de un río secreto.

Fui siempre tan aventurero
que nunca tuve una aventura
12 y las cosas que descubrí
estaban dentro de mí mismo,
de tal modo que defraudé
a Juan, a Pedro y a María,
16 porque por más que me esforcé
no pude salir de mi casa.

Contemplé con envidia intensa
la inseminación incesante,
20 el ciclo de los sateloides,
la añadidura de esqueletos,
y en la pintura vi pasar
tantas maneras fascinantes
24 que apenas me puse a la moda
ya aquella moda no existía.

From *Fin de mundo* (1969).

## *LA ESPADA ENCENDIDA*
(A selection)

### VIII: EL AMOR

Rosía desnuda en la agricultura enmarañada,
Rosía blanca y azul, fina de pétalos,
clara de muslos, sombría de cabellos,
4 se abrió para que entrara Rhodo en ella
y un estertor o un trueno
manifestó la tierra:
el río torrencial saludaba a la luna:
8 dos estirpes contrarias se habían confundido.

Y de pronto el gigante de la gran cordillera
y la fragancia hija de la nieve
se sintieron desnudos y se destinaron:
12 eran de nuevo dos inocentes perdidos,
mordidos por la serpiente de fuego,
otra vez solos en el jardín original.

La escarcha del nuevo día se complicó en la hierba,
16 la nupcial platería que congeló el rocío
cubrió el inmenso lecho de Rosía terrestre,
y ella entreabrió entre sueños otra vez su delicia
para que Rhodo penetrara en ella.

20 Así fue procreado en la luz fría
un nuevo mundo interno
como un panal salvaje
y otra vez el origen del hombre remontó
24 todo el secreto río de las edades muertas
a regar y cantar y temblar y fundar
bajo la poderosa sombra blanca
de los volcanes y sus piedras magnéticas.

### LXIII: VOLCÁN

El volcán es un árbol hacia abajo.
Encima están sus raíces de nieve.

Pero abajo construye su follaje,
4 hoja por hoja, azufre por azufre:
mineral machacado hasta ser flor,
pétalo a pétalo de profundo fuego,
y cada rama hundida
8 en la dureza
excava para que florezca el fuego.

Crece y crece hacia abajo
el árbol vivo que arde,
12 derritiendo, agregando,
amalgamando
la espada del castigo.

### LXXI: LA ESPADA ENCENDIDA

Subió la sangre del volcán al cielo,
se desplomó la grieta,
ígnea ceniza, lava roedora,
4 lengua escondida, ahora derramada,
luna caliente transformada en río.

Salió la espada ardiendo encima
de la boca nevada
8 y un estertor de fuego
quebró la oscuridad,
luego el silencio
duró un segundo
12 como una mano helada
y estalló la montaña
su parto de planeta:
Lodo y peñascos bajaron, de dónde?
16 En dónde se juntaron?
Qué querían rodando?
A qué venían?
A qué venía el fuego?

20 Todo ardía,
el viento repartió
la noticia incendiada

y un trueno ahogado habló toda la noche
24 como una gran garganta estrangulada.

Oh pavor encendido
de la naturaleza!
Oh muerte de la tierra!
28 El volcán hambriento
salía a devorar por los caminos.
El volcán roto
desgranó sus racimos,
32 su cargamento amargo,
su saco de desdicha.
El volcán muerto
revivía rugiendo,
36 nacía agonizando
en la gran alegría
que destruye.

Saltó la levadura
40 de las panaderías del subsuelo.
Gemía Dios
como un encarcelado
que fue quemado vivo.
44 Se derretía Dios
en sus derrotas
y desde su pasión, tortura y muerte,
Dios, muerto para siempre,
48 amenazó a los hombres con su espada encendida.

### LXXX: VOLCÁN

La espada derretida
baja entre los peñascos
ofendiendo.
4 El aluvión de brasa,
la lenta estrella que consume y quema,
desciende carcomiendo.
Arde la vida,
8 se rompe el mineral,
caen los vegetales abrumados
por la ceniza ardiente
y sigue el sol de lava
12 destruyendo.
Las colmenas se parten y reparten

chispas de miel y fuego.
Entrá la racha por las madrigueras
16 calcinando las garras que dormían:
a la nave, a la nave
se dirige
el castigo.

20 La embarcación desciende
entre el amanecer y el ventisquero
con su cargamento asustado:
las bestias mudas
24 bajo el mando del hombre,
del hombre y la mujer autorizados
para salvar el mundo:
gobernadores de la nueva nave,
28 progenitores de la salvación.

From *La espada encendida* (1970).

## *EL CAMPANARIO DE AUTHENAY*

*Contra la claridad de la pradera*
*un campanario negro.*

*Salta desde la iglesia triangular:*
4 *pizarra y simetría.*

*Mínima iglesia en la suave extensión*
*como para que rece una paloma.*

*La pura voluntad de un campanario*
8 *contra el cielo de invierno.*

*La rectitud divina de la flecha*
*dura como una espada*

*con el metal de un gallo tempestuoso*
12 *volando en la veleta.*

*(No la nostalgia, es el orgullo*
*nuestro vestido pasajero*

*y el follaje que nos cubría*
16 *cae a los pies del campanario.*

*Este orden puro que se eleva*
*sostiene su sistema gris*

*en el desnudo poderío*
20 *de la estación color de lluvia.*

*Aquí el hombre estuvo y se fue:*
*dejó su deber en la altura,*

*y regresó a los elementos,*
24 *al agua de la geografía.*

*Así pude ser y no pude,*
*así no aprendí mis deberes:*

*me quedé donde todo el mundo*
28 *mirara mis manos vacías:*

*las construcciones que no hice:*
*mi corazón deshabitado:*

*mientras oscuras herramientas*
32 *brazos grises, manos oscuras*

*levantaban la rectitud*
*de un campanario y de una flecha.*

*Ay lo que traje yo a la tierra*
36 *lo dispersé sin fundamento,*

*no levanté sino las nubes*
*y sólo anduve con el humo*

*sin saber que de piedra oscura*
40 *se levantaba la pureza*

*en anteriores territorios,*
*en el invierno indiferente.)*

*Oh asombro vertical en la pradera*
44 *húmeda y extendida:*

*una delgada dirección de aguja*
*exacta, sobre el cielo.*

*Cuántas veces de todo aquel paisaje,*
48 *árboles y terrones*

*en la infinita estrella horizontal*
*de la terrestre Normandía,*

*por nieve o lluvia o corazón cansado,*
52 *de tanto ir y venir por el mundo,*

*se quedaron mis ojos amarrados*
*al campanario de Authenay,*

*a la estructura de la voluntad*
56 *sobre los dominios dispersos*

*de la tierra que no tiene palabras*
*y de mi propia vida.*

*En la interrogación de la pradera*
60 *y mis atónitos dolores*

*una presencia inmóvil rodeada*
*por la pradera y el silencio:*

*la flecha de una pobre torre oscura*
64 *sosteniendo un gallo en el cielo.*

From *Geografía infructuosa* (1972).

## *LA MORADA SIGUIENTE*

*Volviendo a la madera, por el mes del frío*
*en Diciembre, en Europa, con el sol*
*escondido, enfundado en su ropaje*
4 *de nube y nieve, me esperaba*
*la morada siguiente:*
*grandes ventanas hacia el agua inmóvil*
*y grandes vigas amigas del humo.*

8 *Tal vez me destinó o me destinaron*
*entre tantos quiénsabes*
*a esta penúltima vez, a esta enramada*
*de árboles milenarios que murieron*
12 *y otra vez verticales*
*levantaron con piedras y con pájaros*

*y árboles despojados por el frío*
*esta casa, este espacio*
16 *para que el viejo errante se durmiera*
*sabiendo que temprano la mañana*
*blanca, de nieve, es verdadera,*
*sin ciudad, en un pobre caserío:*
20 *la mañana desnuda está entreabierta*
*como una fruta fría y verdadera.*

*La verdad tiene rostro:*
*de agua y madera son sus ojos,*
24 *de nieve son sus dientes:*
*sonríe al sol celeste y a la lluvia:*
*hay que buscarla:*
*el cuerpo de la vida se desliza*
28 *entre un amanecer de infancia, lejos,*
*camas y cines, trenes,*
*salas de clase, fábricas, hoteles,*
*oficinas, cuarteles,*
32 *y entre ir y volver se va la vida*
*escondiendo los pies y la mirada.*

*Por eso hay que pararse, de repente,*
*oler la piedra, tocar la madera*
36 *atravesar la escarcha:*
*establecer por fin nuestra evidencia:*
*existir sin razones ni sentido*
*en esta desnudez de la mañana*
40 *que ya la tarde vestirá de negro.*

*(Aquí entre la madera y la madera*
*rodeado de silenciosa pureza*
*siento el espacio una vez más seguirme*
44 *y circundarme, abierto*
*hasta talvez el mar, talvez el cielo,*
*en el centro de un círculo habitado*
*por troncos sin follaje, por las líneas*
48 *que el invierno dibuja, por el vuelo*
*rápido y seco de unas aves grises,*
*yo vuelvo a ser, vuelvo a reconocerme,*
*estático talvez, no sin fatiga,*
52 *pero fresco y metálico,*
*seguro de ser árbol y campana.)*

From *Geografía infructuosa* (1972).

## *LA ROSA SEPARADA*

(A selection)

### INTRODUCCIÓN EN MI TEMA

*A la Isla de Pascua y las presencias*
*salgo, saciado de puertas y calles,*
*a buscar algo que allí no perdí.*
4 *El mes de Enero, seco,*
*se parece a una espiga:*
*cuelga de Chile su luz amarilla*
*hasta que el mar lo borra*
8 *y yo salgo otra vez, a regresar.*

*Estatuas que la noche construyó*
*y desgranó en un círculo cerrado*
*para que no las viera sino el mar.*

12 *(Viajé a recuperarlas, a erigirlas*
*en mi domicilio desaparecido.)*

*Y aquí rodeado de presencias grises,*
*de blancura espacial, de movimiento*
16 *azul, agua marina, nubes, piedra,*
*recomienzo las vidas de mi vida.*

### V: LA ISLA

Todas las islas del mar las hizo el viento.

Pero aquí, el coronado, el viento vivo, el primero,
fundó su casa, cerró las alas, vivió:
4 desde la mínima Rapa Nui repartió sus dominios,
sopló, inundó, manifestó sus dones
hacia el Oeste, hacia el Este, hacia el espacio unido
hasta que estableció gérmenes puros,
8 hasta que comenzaron las raíces.

### VI: LA ISLA

Oh Melanesia, espiga poderosa,
islas del viento genital, creadas,
luego multiplicadas por el viento.

4 De arcilla, bosques, barro, de semen que volaba

nació el collar salvaje de los mitos:
Polinesia: pimienta verde, esparcida
en el área del mar por los dedos errantes
8 del dueño de Rapa Nui, el Señor Viento.
La primera estatua fue de arena mojada,
él la formó y la deshizo alegremente.
La segunda estatua la construyó de sal
12 y el mar hostil la derribó cantando.
Pero la tercera estatua que hizo el Señor Viento
fue un moai de granito, y éste sobrevivió.

Esta obra que labraron las manos del aire,
16 los guantes del cielo, la turbulencia azul,
este trabajo hicieron los dedos transparentes:
un torso, la erección del Silencio desnudo,
la mirada secreta de la piedra,
20 la nariz triangular del ave o de la proa
y en la estatua el prodigio de un retrato:
porque la soledad tiene este rostro,
porque el espacio es esta rectitud sin rincones,
24 y la distancia es esta claridad del rectángulo.

### IX: LOS HOMBRES

A nosotros nos enseñaron a respetar la iglesia,
a no toser, a no escupir en el atrio,
a no lavar la ropa en el altar
4 y no es así: la vida rompe las religiones
y es esta isla en que habitó el Dios Viento
la única iglesia viva y verdadera:
van y vienen las vidas, muriendo y fornicando:
8 aquí en la Isla de Pascua donde todo es altar,
donde todo es taller de lo desconocido,
la mujer amamanta su nueva criatura
sobre las mismas gradas que pisaron sus dioses.

12 Aquí, a vivir! Pero también nosotros?
Nosotros, los transeúntes, los equivocados de estrella,
naufragaríamos en la isla como en una laguna,
en un lago en que todas las distancias concluyen,
16 en la aventura inmóvil más difícil del hombre.

XI: LOS HOMBRES

Se ve que hemos nacido para oírnos y vernos,
para medirnos (cuánto saltamos, cuánto ganamos,
ganamos, etcétera),
4 para ignorarnos (sonriendo), para mentirnos,
para el acuerdo, para la indiferencia o para
comer juntos.
Pero que no nos muestre nadie la tierra,
8 adquirimos
olvido, olvido hacia los sueños de aire,
y nos quedó sólo un regusto de sangre y polvo
en la lengua: nos tragamos el recuerdo
12 entre vino y cerveza, lejos, lejos de aquello,
lejos de aquello, de la madre, de la tierra de la vida.

XV: LOS HOMBRES

El transeúnte, viajero, el satisfecho,
vuelve a sus ruedas a rodar, a sus aviones,
y se acabó el silencio solemne, es necesario
4 dejar atrás aquella soledad transparente
de aire lúcido, de agua, de pasto duro y puro,
huir, huir, huir de la sal, del peligro,
del solitario círculo en el agua
8 desde donde los ojos huecos del mar,
las vértebras, los párpados de las estatuas negras
mordieron al espantado burgués de las ciudades:
Oh Isla de Pascua, no me atrapes,
12 hay demasiada luz, estás muy lejos,
y cuánta piedra y agua:
too much for me! Nos vamos!

From *La rosa separada* (1972).

## *INCITACIÓN AL NIXONICIDIO Y ALABANZA DE LA REVOLUCIÓN CHILENA*

XLIII: HABLA DON ALONSO [DE ERCILLA]

"CHILE, FÉRTIL PROVINCIA SEÑALADA
"EN LA REGIÓN ANTÁRTICA FAMOSA,
"DE REMOTAS NACIONES RESPETADA

4 "POR FUERTE PRINCIPAL Y PODEROSA.
"LA GENTE QUE PRODUCE ES TAN GRANADA,
"TAN SOBERBIA, GALLARDA Y BELICOSA,
"QUE NO HA SIDO POR REY JAMÁS REGIDA,
8 "NI A EXTRANJERO DOMINIO SOMETIDA."

### XLIV: JUNTOS HABLAMOS

Junto a los Andes una llamarada
y desde el mar una encendida rosa
CHILE, FÉRTIL PROVINCIA SEÑALADA.

4 Hoy fulgura en la noche luminosa
de América, tu estrella colorada
EN LA REGIÓN ANTÁRTICA FAMOSA.

Y así, por fin, tu estrella liberada
8 emergió de la sombra silenciosa,
DE REMOTAS NACIONES RESPETADA.

El mundo divisó la llamarada
y en tu honor repitió la voz gloriosa:
12 LA GENTE QUE PRODUCE ES TAN GRANADA:

tan unida, tan clara y valerosa,
la Unidad Popular es tan florida,
TAN SOBERBIA, GALLARDA Y BELICOSA,

16 que en esta lucha jugará su vida
contra las turbias bandas sediciosas.

La estirpe popular esclarecida,
es como ayer fecunda y orgullosa
20 Y NO HA SIDO POR REY JAMÁS REGIDA.

Y aunque sea atacada y agredida

Chile, mi Patria no será vencida

NI A EXTRANJERO DOMINIO SOMETIDA.

From *Incitación al nixonicidio y alabanza de la revolución chilena* (1973).

## *CON QUEVEDO, EN PRIMAVERA*

Todo ha florecido en
estos campos, manzanos,
azules titubeantes, malezas amarillas,
4 y entre la hierba verde viven las amapolas.
El cielo inextinguible, el aire nuevo
de cada día, el tácito fulgor,
regalo de una extensa primavera.

8 Sólo no hay primavera en mi recinto.
Enfermedades, besos desquiciados,
como yedras de iglesia se pegaron
a las ventanas negras de mi vida
12 y el sólo amor no basta, ni el salvaje
y extenso aroma de la primavera.

Y para ti qué son en este ahora
la luz desenfrenada, el desarrollo
16 floral de la evidencia, el canto verde
de las verdes hojas, la presencia
del cielo con su copa de frescura?
Primavera exterior, no me atormentes,
20 desatando en mis brazos vino y nieve,
corola y ramo roto de pesares,
dame por hoy el sueño de las hojas
nocturnas, la noche en que se encuentran
24 los muertos, los metales, las raíces,
y tantas primaveras extinguidas
que despiertan en cada primavera.

From *Jardín de invierno* (1974).

## *LLAMA EL OCÉANO*

No voy al mar en este ancho verano
cubierto de calor, no voy más lejos
de los muros, las puertas y las grietas
4 que circundan las vidas y mi vida.

En qué distancia, frente a cuál ventana,
en qué estación de trenes

dejé olvidado el mar y allí quedamos,
8 yo dando las espaldas a lo que amo
mientras allá seguía la batalla
de blanco y verde y piedra y centelleo.

Así fue, así parece que así fue:
12 cambian las vidas, y el que va muriendo
no sabe que esa parte de la vida,
esa nota mayor, esa abundancia
de cólera y fulgor quedaron lejos,
16 te fueron ciegamente cercenadas.

No, yo me niego al mar desconocido,
muerto, rodeado de ciudades tristes,
mar cuyas olas no saben matar,
20 ni cargarse de sal y de sonido:
Yo quiero el mío mar, la artillería
del océano golpeando las orillas,
aquel derrumbe insigne de turquesas,
24 la espuma donde muere el poderío.

No salgo al mar este verano: estoy
encerrado, enterrado, y a lo largo
del túnel que me lleva prisionero
28 oigo remotamente un trueno verde,
un cataclismo de botellas rotas,
un susurro de sal y de agonía.

Es el libertador. Es el océano,
32 lejos, allá, en mi patria, que me espera.

From *Jardín de invierno* (1974). **First published in**
***Cuatro poemas escritos en Francia,***
**December 1972.**

## *PÁJARO*

Un pájaro elegante,
patas delgadas, cola interminable,
viene
4 cerca de mí, a saber qué animal soy.

Sucede en Primavera,
en Condé-sur-Iton, en Normandía.

Tiene una estrella o gota
8 de cuarzo, harina o nieve
en la frente minúscula
y dos rayas azules lo recorren
desde el cuello a la cola,
12 dos líneas estelares de turquesa.

Da minúsculos saltos
mirándome rodeado
de pasto verde y cielo
16 y son dos signos interrogativos
estos nerviosos ojos acechantes
como dos alfileres,
dos puntas negras, rayos diminutos
20 que me atraviesan para preguntarme
si vuelo y hacia dónde.
Intrépido, vestido
como una flor por sus ardientes plumas,
24 directo, decidido
frente a la hostilidad de mi estatura,
de pronto encuentra un grano o un gusano
y a saltos de delgados pies de alambre
28 abandona el enigma
de este gigante que se queda solo,
sin su pequeña vida pasajera.

From *Jardín de invierno* (1974).

## *JARDÍN DE INVIERNO*

Llega el invierno. Espléndido dictado
me dan las lentas hojas
vestidas de silencio y amarillo.

4 Soy un libro de nieve,
una espaciosa mano, una pradera,
un círculo que espera,
pertenezco a la tierra y a su invierno.

8 Creció el rumor del mundo en el follaje,
ardió después el trigo constelado
por flores rojas como quemaduras,
luego llegó el otoño a establecer

12 la escritura del vino:
todo pasó, fue cielo pasajero
la copa del estío,
y se apagó la nube navegante.

16 Yo esperé en el balcón tan enlutado,
como ayer con las yedras de mi infancia,
que la tierra extendiera
sus alas en mi amor deshabitado.

20 Yo supe que la rosa caería
y el hueso del durazno transitorio
volvería a dormir y a germinar:
y me embriagué con la copa del aire
24 hasta que todo el mar se hizo nocturno
y el arrebol se convirtió en ceniza.

La tierra vive ahora
tranquilizando su interrogatorio,
28 extendida la piel de su silencio.

Yo vuelvo a ser ahora
el taciturno que llegó de lejos
envuelto en lluvia fría y en campanas:
32 debo a la muerte pura de la tierra
la voluntad de mis germinaciones.

From *Jardín de invierno* (1974).

## *REGRESOS*

Dos regresos se unieron a mi vida
y al mar de cada día:
de una vez afronté la luz, la tierra,
4 cierta paz provisoria. Una cebolla
era la luna, globo
nutricio de la noche, el sol naranja
sumergido en el mar:
8 una llegada
que soporté, que reprimí hasta ahora,
que yo determiné, y aquí me quedo:
ahora la verdad es el regreso.
12 Lo sentí como quebrantadura,

como una nuez de vidrio
que se rompe en la roca
y por allí, en un trueno, entró la luz,
16 la luz del litoral, del mar perdido,
del mar ganado ahora y para siempre.

Yo soy el hombre de tantos regresos
que forman un racimo traicionado,
20 de nuevo, adiós, por un temible viaje
en que voy sin llegar a parte alguna:
mi única travesía es un regreso.

Y esta vez entre las incitaciones
24 temí tocar la arena, el resplandor
de este mar malherido y derramado,
pero dispuesto ya a mis injusticias
la decisión cayó con el sonido
28 de un fruto de cristal que se destroza
y en el golpe sonoro vi la vida,
la tierra envuelta en sombras y destellos
y la copa del mar bajo mis labios.

From *Jardín de invierno* (1974).

## *IN MEMORIAM MANUEL Y BENJAMÍN*

Al mismo tiempo, dos de mi carrera,
de mi cantera, dos de mis trabajos,
se murieron con horas de intervalo:
4 uno envuelto en Santiago, el otro en Tacna:
dos singulares, sólo parecidos
ahora, única vez, porque se han muerto.

El primero fue taimado y soberano,
8 áspero, de rugosa investidura,
más bien dado al silencio:
de obrero trabajado conservó
la mano de tarea predispuesta
12 a la piedra, al metal de la herrería.
El otro, inquieto del conocimiento,
ave de rama en rama de la vida,
fuegocentrista como un bello faro
16 de intermitentes rayos.

Dos secuaces
de dos sabidurías diferentes:
dos nobles solitarios que hoy se unieron
20 para mí en la noticia de la muerte.

Amé a mis dos opuestos compañeros
que, enmudeciendo, me han dejado mudo
sin saber qué decir ni qué pensar.

24 Tanto buscar debajo de la piel
y tanto andar entre almas y raíces,
tanto picar papel hora tras hora!

Ahora quietos están, acostumbrándose
28 a un nuevo espacio de la oscuridad,
el uno con su rectitud de roble
y el otro con su espejo y espejismo:
los dos que se pasaron nuestras vidas
32 cortando el tiempo, escarmenando, abriendo
surcos, rastreando la palabra justa,
el pan de la palabra cada día.

(Si no tuvieron tiempo de cansarse
36 ahora quietos y por fin solemnes
entran compactos a este gran silencio
que desmenuzará sus estaturas.)

No se hicieron las lágrimas jamás
40 para estos hombres.
Y nuestras palabras
suenan a hueco como tumbas nuevas
donde nuestras pisadas desentonan,
44 mientras ellos allí se quedan solos,
con naturalidad, como existieron.

From *Jardín de invierno* (1974).

## *ANIMAL DE LUZ*

Soy en este sin fin sin soledad
un animal de luz acorralado
por sus errores y por su follaje:
4 ancha es la selva: aquí mis semejantes

pululan, retroceden o trafican,
mientras yo me retiro acompañado
por la escolta que el tiempo determina:
8 olas del mar, estrellas de la noche.

Es poco, es ancho, es escaso y es todo.
De tanto ver mis ojos otros ojos
y mi boca de tanto ser besada,
12 de haber tragado el humo
de aquellos trenes desaparecidos:
las viejas estaciones despiadadas
y el polvo de incesantes librerías,
16 el hombre yo, el mortal, se fatigó
de ojos, de besos, de humo, de caminos,
de libros más espesos que la tierra.

Y hoy en el fondo del bosque perdido
20 oye el rumor del enemigo y huye
no de los otros sino de sí mismo,
de la conversación interminable,
del coro que cantaba con nosotros
24 y del significado de la vida.

Porque una vez, porque una voz, porque una
sílaba o el transcurso de un silencio
o el sonido insepulto de la ola
28 me dejan frente a frente a la verdad,
y no hay nada más que descifrar,
ni nada más que hablar: eso era todo:
se cerraron las puertas de la selva,
32 circula el sol abriendo los follajes,
sube la luna como fruta blanca
y el hombre se acomoda a su destino.

From *Jardín de invierno* (1974). First published
in *Cuadernos de Crisis*, No. 2,
7th November 1973.

## *OTOÑO*

Estos meses arrastran la estridencia
de una guerra civil no declarada.
Hombres, mujeres, gritos, desafíos,
4 mientras se instala en la ciudad hostil,

en las arenas ahora desoladas
del mar y sus espumas verdaderas,
el Otoño, vestido de soldado,
8 gris de cabeza, lento de actitud:
el Otoño invasor cubre la tierra.

Chile despierta o duerme. Sale el sol
meditativo entre hojas amarillas
12 que vuelan como párpados políticos
desprendidos del cielo atormentado.

Si antes no había sitio por las calles,
ahora sí, la sustancia solitaria
16 de ti y de mí, tal vez de todo el mundo,
quiere salir de compras o de sueños,
busca el rectángulo de soledad
con el árbol aún verde que vacila
20 antes de deshojarse y desplomarse
vestido de oro y luego de mendigo.

Yo vuelvo al mar envuelto por el cielo:
el silencio entre una y otra ola
24 establece un suspenso peligroso:
muere la vida, se aquieta la sangre
hasta que rompe el nuevo movimiento
y resuena la voz del infinito.

From *Jardín de invierno* (1974).

## *UN PERRO HA MUERTO*

Mi perro ha muerto.

Lo enterré en el jardín
junto a una vieja máquina oxidada.

4 Allí, no más abajo,
ni más arriba,
se juntará conmigo alguna vez.
Ahora él ya se fue con su pelaje,
8 su mala educación, su nariz fría.
Y yo, materialista que no cree
en el celeste cielo prometido

para ningún humano,
12 para este perro o para todo perro
creo en el cielo, sí, creo en un cielo
donde yo no entraré, pero él me espera
ondulando su cola de abanico
16 para que yo al llegar tenga amistades.

Ay no diré la tristeza en la tierra
de no tenerlo más por compañero
que para mí jamás fue un servidor.
20 Tuvo hacia mí la amistad de un erizo
que conservaba su soberanía,
la amistad de una estrella independiente
sin más intimidad que la precisa,
24 sin exageraciones:
no se trepaba sobre mi vestuario
llenándome de pelos o de sarna,
no se frotaba contra mi rodilla
28 como otros perros obsesos sexuales.
No, mi perro me miraba
dándome la atención que necesito,
la atención necesaria
32 para hacer comprender a un vanidoso
que siendo perro él,
con esos ojos, más puros que los míos,
perdía el tiempo, pero me miraba
36 con la mirada que me reservó
toda su dulce, su peluda vida,
su silenciosa vida,
cerca de mí, sin molestarme nunca,
40 y sin pedirme nada.

Ay cuántas veces quise tener cola
andando junto a él por las orillas
del mar, en el Invierno de Isla Negra,
44 en la gran soledad: arriba el aire
traspasado de pájaros glaciales
y mi perro brincando, hirsuto, lleno
de voltaje marino en movimiento:
48 mi perro vagabundo y olfatorio
enarbolando su cola dorada
frente a frente al Océano y su espuma.

Alegre, alegre, alegre

52 como los perros saben ser felices,
sin nada más, con el absolutismo
de la naturaleza descarada.

No hay adiós a mi perro que se ha muerto.
56 Y no hay ni hubo mentira entre nosotros.

Ya se fue y lo enterré, y eso era todo.

From *Jardín de invierno* (1974).

## *CELEBRACIÓN*
## [del año 2000]

Pongámonos los zapatos, la camisa listada,
el traje azul aunque ya brillen los codos,
pongámonos los fuegos de bengala y de artificio,
4 pongámonos vino y cerveza entre el cuello y los pies,
porque debidamente debemos celebrar
este número inmenso que costó tanto tiempo,
tantos años y días en paquetes,
8 tantas horas, tantos millones de minutos,
vamos a celebrar esta inauguración.

Desembotellemos todas las alegrías resguardadas
y busquemos alguna novia perdida
12 que acepte una festiva dentellada.
Hoy es. Hoy ha llegado. Pisamos el tapiz
del interrogativo milenio. El corazón, la almendra
de la época creciente, la uva definitiva
16 irá depositándose en nosotros,
y será la verdad tan esperada.

Mientras tanto una hoja del follaje
acrecienta el comienzo de la edad:
20 rama por rama se cruzará el ramaje,
hoja por hoja subirán los días
y fruto a fruto llegará la paz:
el árbol de la dicha se prepara
24 desde la encarnizada raíz que sobrevive
buscando el agua, la verdad, la vida.

Hoy es hoy. Ha llegado este mañana

preparado por mucha oscuridad:
28 no sabemos si es claro todavía
este mundo recién inaugurado:
lo aclararemos, lo oscureceremos
hasta que sea dorado y quemado
32 como los granos duros del maíz:
a cada uno, a los recién nacidos,
a los sobrevivientes, a los ciegos,
a los mudos, a mancos y cojos,
36 para que vean y para que hablen,
para que sobrevivan y recorran,
para que agarren la futura fruta
del reino actual que dejamos abierto
40 tanto al explorador como a la reina,
tanto al interrogante cosmonauta
como al agricultor tradicional,
a las abejas que llegan ahora
44 para participar en la colmena
y sobre todo a los pueblos recientes,
a los pueblos crecientes desde ahora
con las nuevas banderas que nacieron
48 en cada gota de sangre o sudor.

Hoy es hoy y ayer se fue, no hay duda.

Hoy es también mañana, y yo me fui
con algún año frío que se fue,
52 se fue conmigo y me llevó aquel año.

De esto no cabe duda. Mi osamenta
consistió, a veces, en palabras duras
como huesos al aire y a la lluvia,
56 y pude celebrar lo que sucede
dejando en vez de canto o testimonio
un porfiado esqueleto de palabras.

From *2000* (last section), first published in *El Nacional* (Caracas), November 1973.

## *FILOSOFÍA*

Queda probada la certeza
del árbol verde en primavera
y de la corteza terrestre:
4 nos alimentan los planetas
a pesar de las erupciones
y el mar nos ofrece pescados
a pesar de sus maremotos:
8 somos esclavos de la tierra
que también es dueña del aire.

Paseando por una naranja
me pasé más de una vida
12 repitiendo el globo terrestre:
la geografía y la ambrosía:
los jugos color de jacinto
y un olor blanco de mujer
16 como las flores de la harina.

No se saca nada volando
para escaparse de este globo
que te atrapó desde nacer.
20 Y hay que confesar esperando
que el amor y el entendimiento
vienen de abajo, se levantan
y crecen dentro de nosotros
24 como cebollas, como encinas,
como galápagos o flores,
como países, como razas,
como caminos y destinos.

From *El corazón amarillo* (1974).

## *CANCIÓN DE AMOR*

Te amo, te amo, es mi canción
y aquí comienza el desatino.

Te amo, te amo mi pulmón,
4 te amo, te amo mi parrón,
y si el amor es como el vino:

eres tú mi predilección
desde las manos a los pies:
8 eres la copa del después
y la botella del destino.

Te amo al derecho y al revés
y no tengo tono ni tino
12 para cantarte mi canción,
mi canción que no tiene fin.

En mi violín que desentona
te lo declara mi violín
16 que te amo, te amo mi violona,
mi mujercita oscura y clara,
mi corazón, mi dentadura,
mi claridad y mi cuchara,
20 mi sal de la semana oscura,
mi luna de ventana clara.

From *El corazón amarillo* (1974). First published in *Cuadernos de Crisis*, No. 2, 7th November 1973.

## *INTEGRACIONES*

Después de todo te amaré
como si fuera siempre antes
como si de tanto esperar
4 sin que te viera ni llegaras
estuvieras eternamente
respirando cerca de mí.

Cerca de mí con tus costumbres
8 con tu color y tu guitarra
como están juntos los países
en las lecciones escolares
y dos comarcas se confunden
12 y hay un río cerca de un río
y dos volcanes crecen juntos.

Cerca de ti es cerca de mí
y lejos de todo es tu ausencia
16 y es color de arcilla la luna
en la noche del terremoto

cuando en el terror de la tierra
se juntan todas las raíces
20 y se oye sonar el silencio
con la música del espanto.
El miedo es también un camino.
Y entre sus piedras pavorosas
24 puede marchar con cuatro pies
y cuatro labios, la ternura.

Porque sin salir del presente
que es un anillo delicado
28 tocamos la arena de ayer
y en el mar enseña el amor
un arrebato repetido.

From *El corazón amarillo* (1974). First published in *Cuadernos de Crisis*, No. 2, 7th November 1973.

## *LIBRO DE LAS PREGUNTAS*

(A selection)

Por qué los inmensos aviones
no se pasean con sus hijos? (I, i)

Cuál es el pájaro amarillo
4 que llena el nido de limones? (I, ii)

Por qué no enseñan a sacar
miel del sol a los helicópteros? (I, iii)

De dónde saca tantas hojas
8 la primavera de Francia? (II, ii)

Si se termina el amarillo
con qué vamos a hacer el pan? (II, iv)

Dime, la rosa está desnuda
12 o sólo tiene ese vestido? (III, i)

Por qué los árboles esconden
el esplendor de sus raíces? (III, ii)

Por qué Cristóbal Colón
16 no pudo descubrir a España? (VIII, ii)

Las lágrimas que no se lloran
esperan en pequeños lagos?

O serán ríos invisibles
20 que corren hacia la tristeza? (VIII, iv-v)

Qué dirán de mi poesía
los que no tocaron mi sangre? (X, ii)

Cómo conocieron las uvas
24 la propaganda del racimo?

Y sabes lo que es más difícil
entre granar y desgranar? (XVIII, i-ii)

Por qué no recuerdan los viejos
28 las deudas ni las quemaduras? (XXVIII, i)

Por qué los pobres no comprenden
apenas dejan de ser pobres? (XXVIII, iii)

No será nuestra vida un túnel
32 entre dos vagas claridades?

O no será una claridad
entre dos triángulos oscuros?

O no será la vida un pez
36 preparado para ser pájaro?

La muerte será de no ser
o de sustancias peligrosas? (XXXV, i-iv)

No sientes también el peligro
40 en la carcajada del mar? (XXXIX, i)

No ves en la seda sangrienta
de la amapola una amenaza? (XXXIX, ii)

No ves que florece el manzano
44 para morir en la manzana? (XXXIX, iii)

Las hojas viven en invierno
en secreto, con las raíces? (XLI, iii)

Qué aprendió el árbol de la tierra
48 para conversar con el cielo? (XLI, iv)

Dónde está el niño que yo fui,
sigue adentro de mí o se fue?

Sabe que no lo quise nunca
52 y que tampoco me quería?

Por qué anduvimos tanto tiempo
creciendo para separarnos?

Por qué no morimos los dos
56 cuando mi infancia se murió?

Y si el alma se me cayó
por qué me sigue el esqueleto? (XLIV, i-v)

Quién puede convencer al mar
60 para que sea razonable? (L, i)

Yo llegué de detrás del mar
y dónde voy cuando me ataja?

Por qué me he cerrado el camino
64 cayendo en la trampa del mar? (L, iv-v)

Qué significa persistir
en el callejón de la muerte? (LXII, i)

En el desierto de la sal
68 cómo se puede florecer? (LXII, ii)

Cuando ya se fueron los huesos
quién vive en el polvo final? (LXII, iv)

Hay una estrella más abierta
72 que la palabra *amapola*?

Hay dos colmillos más agudos
que las sílabas de *chacal*? (LXVI, iv-v)

76 Si todos los ríos son dulces
de dónde saca sal el mar? (LXII, i)

Cómo saben las estaciones
que deben cambiar de camisa?

Por qué tan lentas en invierno
80 y tan palpitantes después? (LXII, ii-iii)

Quién trabaja más en la tierra
el hombre o el sol cereal? (LXXIII, i)

From *Libro de las preguntas* (1974).

## *ELEGÍA*

(A selection)

### XV

Lo sé, lo sé, con muertos no se hicieron
muros, ni máquinas, ni panaderías:
tal vez así es, sin duda, pero
4 mi alma no se alimenta de edificios,
no recibo salud de las usinas,
ni tampoco tristeza.
Mi quebranto es de aquellos
8 que me anduvieron, que me dieron sol,
que me comunicaron existencias,
y ahora qué hago con el heroísmo
de los soldados y los ingenieros?
12 Dónde está la sonrisa
o la pintura comunicativa,
o la palabra enseñante,
o la risa, la risa,
16 la clara carcajada
de aquellos que perdí por esas calles,
por estos tiempos, por estas regiones
en donde me detuve y continuaron
20 ellos, hasta terminar sus viajes?

### XXVI

Oh línea de dos mundos que palpitan
desgarradoramente, ostentatorios

de lo mejor y de lo venenoso,
4 línea
de muerte y nacimiento, de Afrodita
fragante a jazmineros entreabiertos
prolongando su esencial divinidad
8 y el trigo justiciero de este lado,
la cosecha de todos, la certeza
de haber cumplido con el sueño humano:
oh ciudad lineal que como un hacha
12 nos rompe el alma en dos mitades tristes,
insatisfechas ambas, esperando
la cicatrización de los dolores,
la paz, el tiempo del amor completo.

XXVII

Porque yo, clásico de mi Araucanía,
castellano de sílabas, testigo
del Greco y su familia lacerada,
4 yo, hijo de Apollinaire o de Petrarca,
y también yo, pájaro de San Basilio,
viviendo entre las cúpulas burlescas,
elaborados rábanos, cebollas
8 del huerto bizantino, apariciones
de los iconos en su geometría,
yo que soy tú me abrazo a las herencias
y a las adquisiciones celestiales;
12 yo y tú, los que vivimos en el límite
del mundo antiguo y de los nuevos mundos
participamos con melancolía
en la fusión de los vientos contrarios,
16 en la unidad del tiempo que camina.

La vida es el espacio en movimiento.

From *Elegía* (1974).

## *TRISTE CANCIÓN PARA ABURRIR A CUALQUIERA*

Toda la noche me pasé la vida
sacando cuentas,
pero no de vacas,
4 pero no de libras,

pero no de francos,
pero no de dólares,
no, nada de eso.

8 Toda la vida me pasé la noche
sacando cuentas,
pero no de coches,
pero no de gatos,
12 pero no de amores,
no.

Toda la vida me pasé la luz
sacando cuentas,
16 pero no de libros,
pero no de perros,
pero no de cifras,
no.

20 Toda la luna me pasé la noche
sacando cuentas,
pero no de besos,
pero no de novias,
24 pero no de camas,
no.

Toda la noche me pasé las olas
sacando cuentas,
28 pero no de botellas,
pero no de dientes,
pero no de copas,
no.

32 Toda la guerra me pasé la paz
sacando cuentas,
pero no de muertos,
pero no de flores,
36 no.

Toda la lluvia me pasé la tierra
haciendo cuentas,
pero no de caminos,
40 pero no de canciones,
no.

Toda la tierra me pasé la sombra
sacando cuentas,

44 pero no de cabellos,
no de arrugas,
no de cosas perdidas,
no.

48 Toda la muerte me pasé la vida
sacando cuentas:
pero de qué se trata
no me acuerdo,
52 no.

Toda la vida me pasé la muerte
sacando cuentas
y si salí perdiendo
56 o si salí ganando
yo no lo sé, la tierra
no lo sabe.

Etcétera.

From *Defectos escogidos* (1972). First published in *Cuadernos de Crisis,* No. 2, 7th November 1973.

## *ORÉGANO*

Cuando aprendí con lentitud
a hablar
creo que ya aprendí la incoherencia:
4 no me entendía nadie, ni yo mismo,
y odié aquellas palabras
que me volvían siempre
al mismo pozo,
8 al pozo de mi ser aún oscuro,
aún traspasado de mi nacimiento,
hasta que me encontré sobre un andén
o en un campo recién estrenado
12 una palabra: *orégano,*
palabra que me desenredó
como sacándome de un laberinto.

No quise aprender más palabra alguna.

16 Quemé los diccionarios,
me encerré en esas sílabas cantoras,
retrospectivas, mágicas, silvestres,

y a todo grito por la orilla
20 de los ríos,
entre las afiladas espadañas
o en el cemento de la ciudadela,
en minas, oficinas y velorios,
24 yo masticaba mi palabra *orégano*
y era como si fuera una paloma
la que soltaba entre los ignorantes.

Qué olor a corazón temible,
28 qué olor a violetario verdadero,
y qué forma de párpado
para dormir cerrando los ojos:
la noche tiene *orégano*
32 y otras veces haciéndose revólver
me acompañó a pasear entre las fieras:
esa palabra defendió mis versos.

Un tarascón, unos colmillos (iban
36 sin duda a destrozarme)
los jabalíes y los cocodrilos:
entonces
saqué de mi bolsillo
40 mi estimable palabra:
*orégano,* grité con alegría,
blandiéndola en mi mano temblorosa.

Oh milagro, las fieras asustadas
44 me pidieron perdón y me pidieron
humildemente *orégano*.

Oh lepidóptero entre las palabras,
oh palabra helicóptero,
48 purísima y preñada
como una aparición sacerdotal
y cargada de aroma,
territorial como un leopardo negro,
52 fosforescente orégano
que me sirvió para no hablar con nadie,
y para aclarar mi destino
renunciando al alarde del discurso
56 con un secreto idioma, el del orégano.

From *Defectos escogidos* (1974). First published
in *Cuadernos de Crisis*, No. 2,
7th November 1973.

## *INICIAL* *

*Hora por hora no es el día,*
*es dolor por dolor:*
*el tiempo no se arruga,*
4 *no se gasta:*
*mar, dice el mar,*
*sin tregua,*
*tierra, dice la tierra:*
8 *el hombre espera.*
*Y sólo*
*su campana*
*allí está entre las otras*
12 *guardando en su vacío*
*un silencio implacable*
*que se repartirá cuando levante*
*su lengua de metal ola tras ola.*

16 *De tantas cosas que tuve,*
*andando de rodillas por el mundo,*
*aquí, desnudo,*
*no tengo más que el duro mediodía*
20 *del mar, y una campana.*

*Me dan ellos su voz para sufrir*
*y su advertencia para detenerme.*

*Esto sucede para todo el mundo:*

24 *continúa el espacio.*

*Y vive el mar.*
*Existen las campanas.*

From *El mar y las campanas* (1973).

* This is the first poem of *El mar y las campanas*, balanced by the last («Final», p. 206). The first edition appeared with the following note: «La Editorial Losada se enorgullece de dar a conocer hoy *El mar y las campanas*, que contiene los últimos poemas escritos por Neruda, entre ellos el conmovedor «Final» que concluyó poco antes de morir. Por esta razón y en este único caso se ha alterado el orden de aparición establecido por el poeta.»

## [*HOY CUÁNTAS HORAS*...] *

Hoy cuántas horas van cayendo
en el pozo, en la red, en el tiempo:
son lentas pero no se dieron tregua,
4 siguen cayendo, uniéndose
primero como peces,
luego como pedradas o botellas.
Allá abajo se entienden
8 las horas con los días,
con los meses,
con borrosos recuerdos,
noches deshabitadas,
12 ropas, mujeres, trenes y provincias,
el tiempo se acumula
y cada hora
se disuelve en silencio,
16 se desmenuza y cae
al ácido de todos los vestigios,
al agua negra
de la noche inversa.

From *El mar y las campanas* (1973).

## [*SE VUELVE A YO*...]

Se vuelve a yo como a una casa vieja
con clavos y ranuras, es así
que uno mismo cansado de uno mismo,
4 como de un traje lleno de agujeros,
trata de andar desnudo porque llueve,
quiere el hombre mojarse en agua pura,
en viento elemental, y no consigue
8 sino volver al pozo de sí mismo,
a la minúscula preocupación
de si existió, de si supo expresar
o pagar o deber o descubrir,

* «Era intención de Pablo Neruda poner título a cada uno de estos poemas. Sólo pudo hacerlo con unos pocos; en los restantes, hemos puesto como título el primer verso, o parte de él, entre corchetes.» (From prefatory note by Editorial Losada.)

12 como si yo fuera tan importante
que tenga que aceptarme o no aceptarme
la tierra con su nombre vegetal,
en su teatro de paredes negras.

From *El mar y las campanas* (1973).

## [*PEDRO ES EL CUANDO...*]

Pedro es el cuando y el como,
Clara es tal vez el sin duda,
Roberto, el sin embargo:
4 todos caminan con preposiciones,
adverbios, sustantivos
que se anticipan en los almacenes,
en las corporaciones, en la calle,
8 y me pesa cada hombre con su peso,
con su palabra relacionadora
como un sombrero viejo:
a dónde van? me pregunto.

12 A dónde vamos
con la mercadería
precautoria,
envolviéndonos en palabritas,
16 vistiéndonos con redes?

A través de nosotros cae como la lluvia
la verdad, la esperada solución:
vienen y van las calles
20 llenas de pormenores:
ya podemos colgar como tapices
del salón, del balcón, por las paredes,
los discursos caídos
24 al camino
sin que nadie se quedara con nada,
oro o azúcar, seres verdaderos,
la dicha,
28 todo esto no se habla,
no se toca,
no existe, así parece, nada claro,
piedra, madera dura,
32 base o elevación de la materia,
de la materia feliz,

nada, no hay sino seres sin objeto,
palabras sin destino
36 que no van más allá de tú y yo,
ni más acá de la oficina:
estamos demasiado ocupados:
nos llaman por teléfono
40 con urgencia
para notificarnos que queda prohibido
ser felices.

From *El mar y las campanas* (1973).

## [*UN ANIMAL PEQUEÑO...*]

Un animal pequeño,
cerdo, pájaro o perro
desvalido,
4 hirsuto entre plumas o pelo,
oí toda la noche,
afiebrado, gimiendo.

Era una noche extensa
8 y en Isla Negra, el mar,
todos sus truenos, su ferretería,
sus toneles de sal, sus vidrios rotos
contra la roca inmóvil, sacudía.

12 El silencio era abierto y agresivo
después de cada golpe o catarata:

Mi sueño se cosía
como hilando la noche interrumpida
16 y entonces el pequeño ser peludo,
oso pequeño o niño enfermo,
sufría asfixia o fiebre,
pequeña hoguera de dolor, gemido
20 contra la noche inmensa del océano,
contra la torre negra del silencio,
un animal herido,
pequeñito,
24 apenas susurrante
bajo el vacío de la noche,
solo.

From *El mar y las campanas* (1973).

## [*ESTA CAMPANA ROTA...*]

Esta campana rota
quiere sin embargo cantar:
el metal ahora es verde,
4 color de selva tiene la campana,
color de agua de estanques en el bosque,
color del día en las hojas.

El bronce roto y verde,
8 la campana de bruces
y dormida
fue enredada por las enredaderas,
y del color oro duro del bronce
12 pasó a color de rana:
fueron las manos del agua,
la humedad de la costa,
que dio verdura al metal,
16 ternura a la campana.

Esta campana rota
arrastrada en el brusco matorral
de mi jardín salvaje,
20 campana verde, herida,
hunde sus cicatrices en la hierba:
no llama a nadie más, no se congrega
junto a su copa verde
24 más que una mariposa que palpita
sobre el metal caído y vuela huyendo
con alas amarillas.

From *El mar y las campanas* (1973).

## [*NO UN ENFERMIZO CASO...*]

No un enfermizo caso, ni la ausencia
de la grandeza, no,
nada puede matar nuestro mejor,
4 la bondad, sí señor, que padecemos:
bella es la flor del hombre, su conducta
y cada puerta es la bella verdad

y no la susurrante alevosía.

8 Siempre saqué de haber sido mejor,
mejor que yo, mejor de lo que fui,
la condecoración más taciturna:
recobrar aquel pétalo perdido
12 de mi melancolía hereditaria:
buscar una vez más la luz que canta
dentro de mí, la luz inapelable.

From *El mar y las campanas* (1973).

## *LENTO*

Don Rápido Rodríguez
no me conviene:
doña Luciérnaga Aguda
4 no es mi amor:
para andar con mis pasos amarillos
hay que vivir adentro
de las cosas espesas:
8 barro, madera, cuarzo,
metales,
construcciones de ladrillo:
hay que saber cerrar los ojos
12 en la luz,
abrirlos en la sombra,
esperar.

From *El mar y las campanas* (1973).

## [*SE LLAMA A UNA PUERTA...*]

Se llama a una puerta de piedra
en la costa, en la arena,
con muchas manos de agua.
4 La roca no responde.

Nadie abrirá. Llamar es perder agua,
perder tiempo.
Se llama, sin embargo,

8 se golpea
todo el día y el año,
todo el siglo, los siglos.

Por fin algo pasó.
12 La piedra es otra.

Hay una curva suave como un seno,
hay un canal por donde pasa el agua,
la roca no es la misma y es la misma.
16 Allí donde era duro el arrecife
suave sube la ola por la puerta
terrestre.

From *El mar y las campanas* (1973).

## [*PERDÓN SI POR MIS OJOS...*]

Perdón si por mis ojos no llegó
más claridad que la espuma marina,
perdón porque mi espacio
4 se extiende sin amparo
y no termina:
monótono es mi canto,
mi palabra es un pájaro sombrío,
8 fauna de piedra y mar, el desconsuelo
de un planeta invernal, incorruptible.
Perdón por esta sucesión del agua,
de la roca, la espuma, el desvarío
12 de la marea: así es mi soledad:
bruscos saltos de sal contra los muros
de mi secreto ser, de tal manera
que yo soy una parte
16 del invierno,
de la misma extensión que se repite
de campana en campana en tantas olas
y de un silencio como cabellera,
20 silencio de alga, canto sumergido.

From *El mar y las campanas* (1973).

## *FINAL*

*Matilde, años o días*
*dormidos, afiebrados,*
*aquí o allá,*
4 *clavando*
*rompiendo el espinazo,*
*sangrando sangre verdadera,*
*despertando tal vez*
8 *o perdido, dormido:*
*camas clínicas, ventanas extranjeras,*
*vestidos blancos de las sigilosas,*
*la torpeza en los pies.*

12 *Luego estos viajes*
*y el mío mar de nuevo:*
*tu cabeza en la cabecera,*

*tus manos voladoras*
16 *en la luz, en mi luz,*
*sobre mi tierra.*

*Fue tan bello vivir*
*cuando vivías!*

20 *El mundo es más azul y más terrestre*
*de noche, cuando duermo*
*enorme, adentro de tus breves manos.*

The last poem of *El mar y las campanas* (1973). *

* This poem was finished by Neruda «poco antes de morir» (see note on p. 199).

# APPENDIX

## *DISCURSO DE ESTOCOLMO*

[*Speech delivered in Stockholm on the 13th December 1971 on accepting the 1971 Nobel Prize for Literature.*]

Mi discurso será una larga travesía, un viaje mío por regiones lejanas y antípodas, no por eso menos semejantes al paisaje y a las soledades del norte. Hablo del extremo sur de mi país. Tanto y tanto nos alejamos los chilenos hasta tocar con nuestros límites el Polo Sur, que nos parecemos a la geografía de Suecia, que roza con su cabeza el norte nevado del planeta.

Por allí, por aquellas extensiones de mi patria adonde me condujeron acontecimientos ya olvidados en sí mismos, hay que atravesar, tuve que atravesar los Andes buscando la frontera de mi país con Argentina. Grandes bosques cubren como un túnel las regiones inaccesibles y como nuestro camino era oculto y vedado, aceptábamos tan sólo los signos más débiles de la orientación. No había huellas, no existían senderos y con mis cuatro compañeros a caballo buscábamos en ondulante cabalgata —eliminando los obstáculos de poderosos árboles, imposibles ríos, roqueríos inmensos, desoladas nieves, adivinando más bien— el derrotero de mi propia libertad. Los que me acompañaban conocían la orientación, la posibilidad entre los grandes follajes, pero para saberse más seguros montados en sus caballos marcaban de un machetazo aquí y allá las cortezas de los grandes árboles dejando huellas que los guiarían en el regreso, cuando me dejaran solo con mi destino.

Cada uno avanzaba embargado en aquella soledad sin márgenes, en aquel silencio verde y blanco, los árboles, las grandes enredaderas, el humus depositado por centenares de años, los troncos semi-derribados que de pronto eran una barrera más en nuestra marcha. Todo era a la vez una naturaleza deslumbradora y secreta y a la vez una creciente amenaza de frío, nieve, persecución. Todo se mezclaba: la soledad, el peligro, el silencio y la urgencia de mi misión.

A veces seguíamos una huella delgadísima, dejada quizás por contrabandistas o delincuentes comunes fugitivos, e ignorábamos si muchos de ellos habían perecido, sorprendidos de repente por las glaciales manos del invierno, por las tormentas tremendas de nieve que, cuando en los Andes se descargan, envuelven al viajero, lo hunden bajo siete pisos de blancura.

A cada lado de la huella contemplé, en aquella salvaje desolación, algo como una construcción humana. Eran trozos de ramas acumulados que habían soportado muchos inviernos, vegetal ofrenda de centenares de viajeros, altos túmulos de madera para recordar a los caídos, para hacer pensar en los que no pudieron seguir y quedaron allí para siempre debajo de las nieves. También mis compañeros cortaron con sus machetes las ramas que nos tocaban las cabezas y que descendían sobre nosotros desde la altura de las coníferas inmensas, desde los robles cuyo último follaje palpitaba antes de las tempestades del invierno. Y también yo fui dejando en cada túmulo un recuerdo, una tarjeta de madera, una rama cortada del bosque para adornar las tumbas de uno y otro de los viajeros desconocidos.

Teníamos que cruzar un río. Esas pequeñas vertientes nacidas en las cumbres de los Andes se precipitan, descargan su fuerza vertiginosa y atropelladora, se tornan en cascadas, rompen tierras y rocas con la energía y la velocidad que trajeron de las alturas insignes: pero esa vez encontramos un remanso, un gran espejo de agua, un vado. Los caballos entraron, perdieron pie y nadaron hacia la otra ribera. Pronto mi caballo fue sobrepasado casi totalmente por las aguas, yo comencé a mecerme sin sostén, mis pies se afanaban al garete mientras la bestia pugnaba por mantener la cabeza al aire libre. Así cruzamos. Y apenas llegados a la otra orilla, los vaqueanos, los campesinos que me acompañaban me preguntaron con cierta sonrisa:

—¿Tuvo mucho miedo?

—Mucho. Creí que había llegado mi última hora —dije.

—Íbamos detrás de usted con el lazo en la mano —me respondieron.

—Ahí mismo —agregó uno de ellos— cayó mi padre y lo arrastró la corriente. No iba a pasar lo mismo con usted.

Seguimos hasta entrar en un túnel natural que tal vez abrió en las rocas imponentes un caudaloso río perdido, o un estremecimiento del planeta que dispuso en las alturas aquella obra, aquel canal rupestre de piedra socavada, de granito, en el cual penetramos. A los pocos pasos las cabalgaduras resbalaban, trataban de afincarse en los desniveles de piedra, se doblegaban sus patas, estallaban chispas en las herraduras: más de una vez me vi arrojado del caballo y tendido sobre las rocas. Mi cabalgadura sangraba de narices y patas, pero proseguimos empecinados el vasto, el espléndido, el difícil camino.

Algo nos esperaba en medio de aquella selva salvaje. Súbitamente, como singular visión, llegamos a una pequeña y esmerada pradera acurrucada en el regazo de las montañas: agua clara, prado verde, flores silvestres, rumor de ríos y el cielo azul arriba, generosa luz ininterrumpida por ningún follaje.

Allí nos detuvimos como dentro de un círculo mágico, como huéspedes de un recinto sagrado: y mayor condición de sagrada tuvo aún la ceremonia en la que participé. Los vaqueros bajaron de sus cabalgaduras. En el centro del recinto estaba colocada, como en un rito, una calavera de buey. Mis compañeros se acercaron silenciosamente, uno por uno, para dejar unas monedas y algunos alimentos en los agujeros de hueso. Me uní a ellos en aquella ofrenda destinada a toscos Ulises extraviados, a fugitivos de todas las raleas que encontrarían pan y auxilio en las órbitas del toro muerto.

Pero no se detuvo en este punto la inolvidable ceremonia. Mis rústicos amigos se despojaron de sus sombreros e iniciaron una extraña danza, saltando sobre un solo pie alrededor de la calavera abandonada, repasando la huella circular dejada por tantos bailes de otros que por allí cruzaron antes. Comprendí entonces de una manera imprecisa, al lado de mis impenetrables compañeros, que existía una comunicación de desconocido a desconocido, que había una solicitud, una petición y una respuesta aún en las más lejanas y apartadas soledades de este mundo.

Más lejos, ya a punto de cruzar las fronteras que me alejarían por muchos años de mi patria, llegamos de noche a las últimas gargantas de las montañas. Vimos de pronto una luz encendida que era indicio cierto de habitación humana y, al acercarnos, hallamos unas desvencijadas construcciones, unos destartalados galpones al parecer vacíos. Entramos a uno de ellos y vimos, al claror de la lumbre, grandes troncos encendidos en el centro de la habitación, cuerpos de árboles gigantes que allí ardían de día y de noche y que dejaban escapar por las hendiduras del techo un humo que vagaba en medio de las tinieblas como un profundo velo azul. Vimos montones de quesos acumulados por quienes los cuajaron a aquellas alturas. Cerca del fuego, agrupados como sacos, yacían algunos hombres. Distinguimos en el silencio las cuerdas de una guitarra y las palabras de una canción que, naciendo de las brasas y de la oscuridad, nos traía la primera voz humana que habíamos topado en el camino. Era una canción de amor y de distancia, un lamento de amor y de nostalgia dirigido hacia la primavera lejana, hacia las ciudades de donde veníamos, hacia la infinita extensión de la vida. Ellos ignoraban quienes éramos, ellos nada sabían del fugitivo, ellos no conocían mi poesía ni mi nombre. ¿O lo conocían, nos conocían? El hecho real fue que junto a aquel fuego cantamos y comimos, y luego caminamos dentro de la oscuridad hacia unos cuartos elementales. A través de ellos pasaba una corriente termal, agua volcánica donde nos sumergimos, calor que se desprendía de las cordilleras y nos acogió en su seno.

Chapoteamos gozosos, cavándonos, limpiándonos el peso de la inmensa cabalgata. Nos sentimos frescos, renacidos, bautizados, cuando al amanecer emprendimos los últimos kilómetros de jornada que me separarían de aquel eclipse de mi patria. Nos alejamos cantando sobre nuestras cabalgaduras, plenos de un aire nuevo, de un aliento que nos empujaba al gran camino del mundo que me estaba esperando. Cuando quisimos dar (lo recuerdo vivamente) a los montañeses algunas monedas de recompensa por las canciones, por los alimentos, por las aguas termales, por el techo y los lechos, vale decir, por el inesperado amparo que nos salió al encuentro, ellos rechazaron nuestro ofrecimiento sin un ademán. Nos habían servido y nada más. Y en ese "nada más", en ese silencioso nada más había muchas cosas subentendidas, tal vez el reconocimiento, tal vez los mismos sueños.

Señoras y Señores:

Yo no aprendí en los libros ninguna receta para la composición de un poema; y no dejaré impreso a mi vez ni siquiera un consejo, modo o estilo para que los nuevos poetas reciban de mí alguna gota de supuesta sabiduría. Si he narrado en este discurso ciertos sucesos del pasado, si he revivido un nunca olvidado relato en esta ocasión y en este sitio tan diferentes a lo acontecido, es porque en el curso de mi vida he encontrado siempre en alguna parte la aseveración necesaria, la fórmula que me aguardaba, no para endurecerse en mis palabras sino para explicarme a mí mismo.

En aquella larga jornada encontré las dosis necesarias a la formación del poema. Allí me fueron dadas las aportaciones de la tierra y del alma. Y pienso que la poesía es una acción pasajera o solemne en que entran por parejas medidas la soledad y la solidaridad, el sentimiento y la acción, la intimidad de uno mismo, la intimidad del hombre y la secreta revelación de la naturaleza. Y pienso con no menor fe que todo está sostenido —el hombre y su sombra, el hombre y su actitud, el hombre y su poesía— en una comunidad cada vez más extensa, en un ejercicio que integrará para siempre en nosotros la realidad y los sueños, porque de tal manera los une y los confunde. Y digo de igual modo que no sé, después de tantos años, si aquellas lecciones que recibí al cruzar un río vertiginoso, al bailar alrededor del cráneo de una vaca, al bañar mi piel en el agua purificadora de las más altas regiones, digo que no sé si aquello salía de mí mismo para comunicarse después con muchos otros seres, o era el mensaje que los demás hombres me enviaban como exigencia o emplazamiento. No sé si aquello lo viví o lo escribí, no sé si fueron verdad o poesía, transición o eternidad, los versos que experimenté en aquel momento, las experiencias que canté más tarde.

De todo ello, amigos, surge una enseñanza que el poeta debe aprender de los demás hombres. No hay soledad inexpugnable. Todos los caminos llevan al mismo punto: a la comunicación de lo que somos. Y es preciso atravesar la soledad y la aspereza, la incomunicación y el silencio para llegar al recinto mágico en que podemos danzar torpemente o cantar con melancolía: mas en esa danza o en esa canción están consumados los más antiguos ritos de la conciencia: de la conciencia de ser hombres y de creer en un destino común.

En verdad, si bien alguna o mucha gente me consideró un sectario, sin posible participación en la mesa común de la amistad y de la responsabilidad, no quiero justificarme, no creo que las acusaciones ni las justificaciones tengan cabida entre los deberes del poeta. Después de todo, ningún poeta administró la poesía, y si alguno de ellos se detuvo a acusar a sus semejantes, o si otro pensó que podría gastarse la vida defendiéndose de recriminaciones razonables o absurdas, mi convicción es que sólo la vanidad es capaz de desviarnos hasta tales extremos. Digo que los enemigos de la poesía no están entre quienes la profesan o resguardan, sino en la falta de concordancia del poeta. De ahí que ningún poeta tenga más enemigo esencial que su propia incapacidad para entenderse con los más ignorados y explotados de sus contemporáneos; y esto rige para todas las épocas y para todas las tierras.

El poeta no es un "pequeño dios". No, no es un "pequeño dios". No está signado por un destino cabalístico superior al de quienes ejercen otros menesteres y oficios. A menudo expresé que el mejor poeta es el hombre que nos entrega el pan de cada día: el panadero más próximo, que no se cree dios. Él cumple su majestuosa y humilde faena de amasar, meter al horno, dorar y entregar el pan de cada día, con una obligación comunitaria. Y si el poeta llega a alcanzar esa sencilla conciencia, podrá también la sencilla conciencia convertirse en parte de una colosal artesanía, de una construcción simple o complicada, que es la construcción de la sociedad, la transformación de las condiciones que rodean al hombre, la entrega de la mercadería: pan, verdad, vino, sueños. Si el poeta se incorpora a esa nunca gastada lucha por consignar cada uno en manos de los otros su ración de compromiso, su dedicación y su ternura al trabajo común de cada día y de todos los hombres, el poeta tomará parte en el sudor, en el pan, en el vino, en el sueño de la humanidad entera. Sólo por ese camino inalienable de ser hombres comunes llegaremos a restituirle a la poesía el anchuroso espacio que le van recortando en cada época, que le vamos recortando en cada época nosotros mismos.

Los errores que me llevaron a una relativa verdad, y las verdades que repetidas veces me condujeron al error, unos y otras no me permitieron —ni yo lo pretendí nunca— orientar, dirigir, enseñar lo que se llama el proceso creador, los vericuetos de la literatura. Pero sí me di cuenta de una cosa: de que nosotros mismos vamos creando los fantasmas de nuestra propia mitificación. De la argamasa de lo que hacemos, o queremos hacer, surgen más tarde los impedimentos de nuestro propio y futuro desarrollo. Nos vemos indefectiblemente conducidos a la realidad y al realismo, es decir a tomar una conciencia directa de lo que nos rodea y de los caminos de la transformación, y luego comprendemos, cuando parece tarde, que hemos construido una limitación tan exagerada que matamos lo vivo en vez de conducir la vida a desenvolverse y florecer. Nos imponemos un realismo que posteriormente nos resulta más pesado que el ladrillo de las construcciones, sin que por ello hayamos erigido el edificio que contemplábamos como parte integral de nuestro deber. Y en sentido contrario, si alcanzamos a crear el fetiche de lo incomprensible (o de lo comprensible para unos pocos), el fetiche de lo selecto y de lo secreto, si suprimimos la realidad y sus degeneraciones realistas, nos veremos de pronto rodeados de un terreno imposible, de un tembladeral de hojas, de barro, de nubes, en que se hunden nuestros pies y nos ahoga una incomunicación opresiva.

En cuanto a nosotros en particular, escritores de la vasta extensión americana, escuchamos sin tregua el llamado para llenar ese espacio enorme con seres de carne y hueso. Somos conscientes de nuestra obligación de pobladores y —al mismo tiempo que nos resulta esencial el deber de una comunicación crítica en un mundo deshabitado, y no por deshabitado menos lleno de injusticias, castigos y dolores— sentimos también el compromiso de recobrar los antiguos sueños que duermen en las estatuas de piedra, en los antiguos monumentos destruidos, en los anchos silencios de pampas planetarias, de selvas espesas, de ríos que cantan como truenos. Necesitamos colmar de palabras los confines de un continente mudo y nos embriaga esta tarea de fabular y de nombrar. Tal vez ésa sea la razón determinante de mi humilde caso individual: y en esa circunstancia mis excesos, o mi abundancia, o mi retórica, no vendrían a ser sino actos, los más simples, del menester americano de cada día. Cada uno de mis versos quiso instalarse como un objeto palpable: cada uno de mis poemas pretendió ser un instrumento útil de trabajo: cada uno de mis cantos aspiró a servir en el espacio como signos de reunión donde se cruzaron los caminos, o como fragmentos de piedra o de madera en que alguien, otros, los que vendrán, pudieran depositar los nuevos signos.

Extendiendo estos deberes del poeta, en la verdad o en el error, hasta sus últimas consecuencias, decidí que mi actitud dentro de la sociedad y ante la vida debía ser también humildemente partidaria. Lo decidí viendo gloriosos fracasos, solitarias victorias, derrotas deslumbrantes. Comprendí, metido en el escenario de las luchas de América, que mi misión humana no era otra sino agregarme a la extensa fuerza del pueblo organizado, agregarme con sangre y alma, con pasión y esperanza, porque sólo de esa henchida torrentera pueden nacer los cambios necesarios a los escritores y a los pueblos. Y aunque mi posición levantara o levante objeciones amargas o amables, lo cierto es que no hallo otro camino para el escritor de nuestros anchos y crueles países, si queremos que florezca la oscuridad, si pretendemos que los millones de hombres que aún no han aprendido a leernos ni a leer, que todavía no saben escribir ni escribirnos, se establezcan en el terreno de la dignidad sin la cual no es posible ser hombres integrales.

Heredamos la vida lacerada de los pueblos que arrastran un castigo de siglos, pueblos los más edénicos, los más puros, los que construyeron con piedras y metales torres milagrosas, alhajas de fulgor deslumbrante: pueblos que de pronto fueron arrasados y enmudecidos por las épocas terribles del colonialismo que aún existe.

Nuestras estrellas primordiales son la lucha y la esperanza. Pero no hay lucha ni esperanzas solitarias. En todo hombre se juntan las épocas remotas, la inercia, los errores, las pasiones, las urgencias de nuestro tiempo, la velocidad de la historia. Pero, ¿qué sería de mí si yo, por ejemplo, hubiera contribuido en cualquiera forma al pasado feudal del gran continente americano? ¿Cómo podría yo levantar la frente, iluminada por el honor que Suecia me ha otorgado, si no me sintiera orgulloso de haber tomado una mínima parte en la transformación actual de mi país? Hay que mirar el mapa de América, enfrentarse a la grandiosa diversidad, a la generosidad cósmica del espacio que nos rodea, para entender que muchos escritores se niegan a compartir el pasado de oprobio y de saqueo que oscuros dioses destinaron a los pueblos americanos.

Yo escogí el difícil camino de una responsabilidad compartida y, antes de reiterar la adoración hacia el individuo como sol central del sistema, preferí entregar con humildad mi servicio a un considerable ejército que a trechos puede equivocarse, pero que camina sin descanso y avanza cada día enfrentándose tanto a los anacrónicos recalcitrantes como a los infatuados impacientes. Porque creo que mis deberes de poeta no sólo me indicaban la fraternidad con la rosa y la simetría, con el exaltado amor y con la nostalgia infinita, sino también con las ásperas tareas humanas que incorporé a mi poesía.

Hace hoy cien años exactos, un pobre y espléndido poeta, el más atroz de los desesperados, escribió esta profecía: *A l'aurore, armés d'une ardente patience, nous entrerons aux splendides Villes.* (Al amanecer, armados de una ardiente paciencia, entraremos a las espléndidas ciudades.)

Yo creo en esa profecía de Rimbaud, el vidente. Yo vengo de una oscura provincia, de un país separado de todos los otros por la tajante geografía. Fui el más abandonado de los poetas y mi poesía fue regional, dolorosa y lluviosa. Pero tuve siempre confianza en el hombre. No perdí jamás la esperanza. Por eso tal vez he llegado hasta aquí con mi poesía, y también con mi bandera.

En conclusión, debo decir a los hombres de buena voluntad, a los trabajadores, a los poetas que el entero porvenir fue expresado en esa frase de Rimbaud: sólo con una *ardiente paciencia* conquistaremos la *espléndida* ciudad que dará luz, justicia y dignidad a todos los hombres.

Así la poesía no habrá cantado en vano.

Copy № 000982